D1321322

Wilhelm Johannes Schwarz

Der Erzähler Günter Grass

WILHELM JOHANNES SCHWARZ

Der Erzähler Günter Grass

FRANCKE VERLAG BERN

UND MÜNCHEN

I

Einleitung

Als 1959 *Die Blechtrommel* erschien, hatte sich Günter Grass bereits einen bescheidenen Namen als Lyriker, Graphiker und Stückeschreiber erworben. 1954 hatte er im Lyrikwettbewerb des Süddeutschen Rundfunks für sein Gedicht «Lilien aus Schlaf» den dritten Preis bekommen, und seine Lyrikproben waren bei einer ersten Lesung auf der Tagung der Gruppe 47 im Jahre 1955 lobend beachtet worden. Mehr Aufmerksamkeit erhielt er bereits mit dem Bühnenstück *Hochwasser*, das er auf der Gruppentagung 1956 vorlas, wofür er verächtliche Ablehnung wie wärmsten Beifall erzielte. Im gleichen Jahre erschien im Hermann Luchterhand Verlag der erste Gedichtband mit eigenen Zeichnungen unter dem Titel *Die Vorzüge der Windhühner*, ohne ein nennenswertes Echo hervorzurufen. Auch die Uraufführung von *Hochwasser* durch die Frankfurter Studentenbühne im Jahre 1957 wurde nicht nachgerade zum literarischen Ereignis des Jahres. Ein ähnliches Schicksal war dem Stück *Onkel, Onkel* beschieden, das 1957 die Anerkennung der Gruppe 47 fand, nach der Uraufführung in Köln jedoch bald in Vergessenheit geriet. Der enttäuschte Lyriker und Dramatiker versuchte sich nun in der dritten und letzten Gattung, was ihm Benn schon 1953 geraten hatte. Der Erfolg war eklatant: *Die Blechtrommel* erhielt 1958 den Preis der Gruppe 47 und setzte mit ihrem Erscheinen im Jahre 1959 einen Meilenstein in der Geschichte des deutschen Romans. Der Autodidakt Grass, Sohn eines Danziger Kolonialwarenhändlers, war über Nacht, wie sich bald zeigen sollte, in die erste Reihe der deutschen Literatur und der Weltliteratur eingebrochen.

Für das über 700 Seiten starke epische Werk hat die Theorie der Literatur weder adäquate Wertkriterien noch einen Namen bereit. Der am 16. Oktober 1927 von kaschubisch-deutschen Eltern in Danzig-Langfuhr geborene Grass läßt in seinem Erstlingswerk wie in den späteren Büchern die verlorene Heimat wieder auferstehen. Man könnte also von Heimatkunst im guten Sinne wie bei Keller, Storm, Frenssen, Löns, Thoma und Rosegger sprechen, wenn das lokale Geschehen nicht laufend vom Zeitgeschehen gebrochen und weitgehend beeinflußt würde. Die Provinz erscheint also immer vor dem Hintergrund der großen Umwälzungen unserer Zeit, deren Auseinandersetzungen in vielfältigen Brechungen im Roman erscheinen. Gegen die Einstufung als Zeitroman sprechen jedoch die häufigen phantastischen Elemente wie auch die Konzentration der Blickrichtung auf eine zentrale Gestalt, deren Schicksal von der Geburt bis zum Mannesalter verfolgt wird. Dem Entwicklungsroman entspricht nicht nur diese Blickrichtung, sondern auch die Wahl der Ich-Form und die starken autobiographischen Züge, wie man denn auch schon Vergleiche zwischen *Wilhelm Meisters Lehrjahre* und der *Blechtrommel* angestellt hat. Man sollte jedoch eher von einem Anti-Entwicklungsroman oder von einem Anti-Bildungsroman sprechen, denn der Held der *Blechtrommel* beschließt ja, seine normale Entwicklung und Bildung vorsätzlich zu unterbrechen. Mit dem Schelmenroman hat *Die Blechtrommel* die Vielfalt und Fülle der Ereignisse, der Gestalten und der Handlungsorte sowie den umhergetriebenen Helden dunkler Abkunft gemein, der aus der Froschperspektive die Gesellschaft kritisch betrachtet und mit allen verfügbaren Mitteln für sein Leben kämpft. Auf die Verwandtschaft mit dem *Abenteuerlichen Simplicissimus* wurde denn auch schon allzuoft hingewiesen, doch Grass selbst wehrt sich gegen die Klassifizierung als Schelmenroman. Für ihn ist die *Blechtrommel* zuallererst ein realistischer Roman, der die Satire, die Legende, die Parabel, die Gespenstergeschichte und manches andere einschließt. Magischer Realismus wäre wahrscheinlich der gegebene Terminus für das gesamte Grass'sche Prosawerk, wenn diese Bezeichnung nicht schon durch Ernst Jünger und Friedrich Georg Jünger mit bestimmten Werten und Assoziationen beladen worden wäre. Da also kein Etikett zur Verfügung steht, die Welt aber und die Germanisten nach einem verlangen, sei es hier neu geprägt: das Werk von Günter Grass ist gekennzeichnet von einer Grundhaltung, die sich mit dem Oxymoron phantastischer Realismus bezeichnen läßt. Phantastisches und Realistisches sind zweifelsohne die beiden wichtigsten konstituierenden Elemente, wie auch in der vorliegenden Arbeit gezeigt werden soll.

Der Erfolg der *Blechtrommel* erstreckt sich sowohl auf den begeisterten Widerhall in der Kritik als auch auf das ungewöhnlich große Interesse des breiten Publikums. Verstärkt wurde dieser Erfolg noch durch einige moralisch und ästhetisch verletzte Kleinbürger unter den Kritikern, die von Pornographie und Blasphemie schrieben. Die Weigerung des Bremer Senats, Grass den ihm von einer angesehenen

Jury zuerkannten Preis zu verleihen, umgab die *Blechtrommel* schließlich mit der notwendigen Aureole des Skandals, welche auch aus einem guten Buch einen Bestseller macht. An distinguierten Ehrungen fehlte es ohnehin nicht: 1960 erhielt Grass den Berliner Kritikerpreis, 1962 den französischen Literaturpreis für das beste ausländische Buch, 1965 den Georg-Büchner-Preis und 1968 den Fontane-Preis. Es fehlte ebenfalls nicht an erfolglosen Eingaben, die *Blechtrommel* und die folgenden Bücher als obszön und jugendgefährdend zu erklären. Kurzum, Freunde und Feinde des jungen Romanciers sorgten gleich eifrig dafür, daß seine Werke unter die Leute kamen.

Das Erscheinen von *Katz und Maus* (1961) sowie der *Hundejahre* (1963) bestätigte lediglich, was schon nach Erscheinen der *Blechtrommel* auf der Hand lag: daß hier ein außergewöhnliches Fabuliertalent wie ein Strom in das «Drippeln» der deutschen Romankunst eingebrochen war. Nicht daß Grass alle Kritiker überzeugt hätte: Die unentwegten Wächter der öffentlichen Moral sprachen weiterhin von Pornographie, Blasphemie und jugendgefährdenden Schriften, und die Anzeigen häuften sich. Dafür kam der Erfolg im Ausland, wo die moderne deutsche Literatur endlich wieder Rang und Klang erlangte. Besonders begeistert wurde das Grass'sche Werk in Frankreich und Amerika aufgenommen, während sich das puritanische England verhältnismäßig kühl verhielt. Es folgten Übersetzungen in alle Kultursprachen, es wurden die ersten Dissertationen über Grass geschrieben, die Literaturreisenden hielten landauf-landab Vorträge über Grass, es gab Grass-Seminare, die ersten Ansätze einer Epigonenliteratur machten sich bemerkbar: Der unbekannte Lyriker und Stückeschreiber, der sich über Nacht in das «enfant terrible» der deutschen Literatur verwandelt hatte, verwandelte sich nun sehr langsam in ihren Klassiker. Dieser Günter Grass war jedoch noch nicht bereit, sich kanonisieren zu lassen, er hielt neue Überraschungen bereit. 1965 begab sich der gefeierte Romancier auf Wahlredentour für die Es-Pe-De, ein unerhörtes Ereignis in der Geschichte der deutschen Literatur. 1967 schockierte er das fast schon an Grass-Schocks gewöhnte Publikum mit der Gedichtsammlung *Ausgefragt*, über deren Ton sich sogar Kritiker entrüsteten, die Grass bisher gewogen waren.

Nach den Welterfolgen der drei Prosawerke beschäftigte man sich zum erstenmal eingehend mit der Lyrik und den Stücken. Man entdeckte, daß die meisten der Themen und Motive des erzählerischen

Werkes in den Gedichten und Dramen vorgeformt sind. Einzelne Gedichte wurden in germanistischen Zeitschriften analysiert. 1968 erschien eine ausführliche Würdigung der Grass'schen Lyrik aus der kompetenten Feder Theodor Wiesers unter dem Titel *Günter Grass: Porträt und Poesie.* Eine eingehende Analyse der Grass'schen Dramen von Peter Spycher beschäftigte sich in erster Linie mit *Die bösen Köche,* betrachtete das Stück jedoch umfassend gegen den Hintergrund des Gesamtwerks. Die Breitenwirkung der Romane blieb aber der Lyrik wie den Stücken von Grass versagt. Bei den Gedichten ist dies verständlich, denn Lyrik ist kein Produkt für den Massenkonsum der freien Marktwirtschaft. Den Mißerfolg seiner Dramen will Grass auf falsche Inszenierungen zurückgeführt wissen. Wahrscheinlicher ist, daß ihnen bei aller Brillanz, bei aller Originalität der Einfälle und Kraft der Dialoge letztlich der bühnenwirksame Funke fehlt. Sie alle bleiben in ein oder zwei Grundsituationen stecken, die vom Dialog umkreist werden, ohne von einer entsprechenden und überzeugenden Bühnenhandlung ergänzt zu werden. Größeres Interesse erregte zeitweilig *Die Plebejer proben den Aufstand* bei der Uraufführung im Jahre 1966: Am Beispiel von Bert Brechts Verhalten während des Aufstands vom 17. Juni wird die paradoxe Situation des wirklichkeitsfernen deutschen Linksintellektuellen demonstriert. Ein dauernder Erfolg war auch diesem Stück trotz seiner aktuellen Themen nicht beschieden, und Grass wird sich wohl mit seinem Ruhm als Prosaist begnügen müssen. (Eine sinnvolle Auswahl von kritischen Stimmen zu Grass' Lyrik und Drama findet sich im Anhang der «Übersicht über die Grass-Kritik».) Eigentlich sollte man dankbar sein für das Durchfallen des Dramatikers Grass, denn nach seinen eigenen Worten versuchte er sich nur deswegen in der Prosa, weil seine Stücke nicht den gewünschten Erfolg brachten. *Die Blechtrommel* als Kompensation für frustierten und gescheiterten dramatischen Ehrgeiz – der Gedanke entbehrt nicht einer gehörigen Portion Komik.

Die vorliegende Arbeit ist die bisher ausführlichste und umfassendste Untersuchung des erzählerischen Werkes von Günter Grass. Auf Lyrik, Drama, Essay, Rede und Interview wurde nur zurückgegriffen, wenn dies zum Verständnis der Romane und der Novelle notwendig war. Auf Fußnoten wurde in der ganzen Arbeit verzichtet, doch wurde dafür Sorge getragen, daß sich jedes wichtige Textzitat mit Hilfe der Bibliographie mühelos nachweisen läßt. Auszüge aus der Sekundärliteratur erscheinen nur in Ausnahmefällen; eine breitere Auswahl von Stellungnahmen erscheint in der «Übersicht über die Grass-Kritik». In dieser Übersicht wurde versucht, möglichst objektiv vorzugehen und auch Kritiker zu Wort kommen zu lassen, die eine dieser Arbeit entgegengesetzte Position einnehmen. Sich wiederholende Kritik wurde nur unter dem ersten Erscheinungsdatum berücksichtigt, auch wenn es sich allem Anschein nach nicht um ein Plagiat handelte. Die geplante Übersicht über die gesamte Grass-Kritik erwies sich im Hinblick auf deren Umfang aus Platzmangel als nicht realisierbar. Relative Vollständigkeit wurde lediglich in der Bibliographie angestrebt. Mit über 400 Eintragungen dürfte sie das zur Zeit ausführlichste Verzeichnis der Literatur über Grass sein. Der ausgezeichneten Arbeit von Gert Loschütz (*Von Buch zu Buch*, 1968) hat sie voraus, daß sie auch fremdsprachige Kritiken berücksichtigt, die bei Loschütz weitgehend fehlen.

Für das Lesen der Korrekturen sowie für Vorschläge zur Verbesserung dieser Arbeit danke ich Herrn Professor Dr. Wolfgang Ruttkowski, Los Angeles, Herrn Cand. phil. Thomas Skaletz, Quebec, und Herrn Dr. Helmut Bender, Freiburg im Breisgau.

Frühjahr 1969 W. J. S.

II

Der Inhalt

Die Blechtrommel

Der verwachsene Zwerg Oskar Matzerath erzählt als Insasse einer Heil- und Pflegeanstalt in Düsseldorf seine eigene Geschichte. Im ersten Buch berichtet er weit ausladend von seiner kaschubischen Großmutter Anna Bronski, die unter ihren vier Röcken dem flüchtigen Brandstifter Koljaiczek Asyl vor der Polizei gewährt. Der Koljaiczek verschwendet die Zeit und den Röcken nicht, sondern zeugt der Anna Bronski ein Kind, während die Polizisten vergeblich auf dem Kartoffelacker nach ihm suchen. Der Brandstifter Koljaiczek kann nicht mehr von den vier Röcken lassen, heiratet die Anna Bronski und wird ein ehrbarer Bürger mit falschem Paß. Nach einigen Jahren kommt man ihm jedoch auf die Spur. Von der Polizei gehetzt, verschwindet er unter einem Floß und wird nie mehr gesehen. Das unter den Augen der Gendarmen auf höchst originelle Weise gezeugte Kind ist Oskars Mama Agnes.

Oskar erzählt in chronologischer Reihenfolge, doch unterbricht er von Zeit zu Zeit seinen Bericht, um über seine Situation in der Heil- und Pflegeanstalt zu sprechen. Der zeitliche Abstand zwischen Vergangenheit und Gegenwart wird fortwährend kürzer, bis am Ende die erzählte Zeit mit der Erzählzeit identisch ist.

Als der Brandstifter unter dem Floß verschwindet, ist Oskars Mutter ein junges Mädchen. Die Großmutter Anna beginnt ein kleines Geschäft in Danzig und vermietet ein Zimmer ihrer Wohnung an Agnes' schmächtigen Vetter Jan Bronski. Ein Verhältnis bahnt sich zwischen den beiden jungen Leuten an, doch Agnes heiratet schließlich den Rheinländer Alfred Matzerath, der im Krieg verwundet nach Danzig gekommen ist. Agnes und Alfred Matzerath bauen den Trödelladen der Großmutter zu einem gutgehenden Kolonialwarengeschäft aus. Die Liaison zwischen Jan Bronski und Agnes hört aber auch nach Agnes' Hochzeit nicht auf, und als Oskar 1924 geboren wird, hat er in Jan Bronski und Alfred Matzerath zwei mutmaßliche Väter.

Während die Erzählung bis zu diesem Punkt zwar reichlich abenteuerlich, doch völlig realistisch ist, flicht Grass hier das erste phantastische Detail ein. Oskar ist als Wunderkind geboren, dessen geistige Entwicklung schon bei der Geburt abgeschlossen ist. Aus diesem Kunstgriff ergeben sich reiche Möglichkeiten für die Fabel: Das Kleinkind Oskar, vor dem niemand Geheimnisse hat, durchschaut mit scharfem Verstand das Spiel der Erwachsenen. Was Oskar aber aus der Froschperspektive sieht, ist nicht sehr verheißungsvoll, und am liebsten kehrte er wieder in den Leib seiner Mutter zurück.

Dem schreibenden Oskar der Heil- und Pflegeanstalt hilft ein Photoalbum, die Vergangenheit lebendig werden zu lassen. Als er drei Jahre alt wird, erhält er seine erste Blechtrommel. An diesem Tag beschließt er (zweites phantastisches Moment), nicht mehr weiterzuwachsen, sondern ein dreijähriger Gnom zu bleiben. Er täuscht einen Sturz von der Kellertreppe vor, und Alfred Matzerath, der die Falltür offengelassen hat, muß die Schuld an Oskars Sturz und an dem damit in Verbindung gebrachten ausbleibenden Wachstum für den Rest seines Lebens tragen.

Aus Oskar wird also ein kleiner Blechtrommler, der sich mit kleinem Körper und großem Verstand durch das Leben trommelt. Hier wird das dritte phantastische Element eingeflochten. Oskar kann mit seiner Stimme Glas zersingen, und wenn ihm etwas mißfällt, macht er von seiner Gabe rücksichtslos Gebrauch. Als die Lehrerin am ersten Schultag den störenden Außenseiter zur Ordnung zwingen will, zersingt er ihre Brillengläser. Oskar wird vom Schulbesuch dispensiert. Er versteht es jedoch, die Frau des Bäckermeisters Scheffler für sich zu gewinnen, und sie bringt ihm mit Hilfe von Goethes *Wahlverwandtschaften* und eines Buches über Rasputin das Lesen bei. Goethe und Rasputin bleiben dann auch Oskars lebenslange Vorbilder, und er «pfeift» auf den Idealisten Schiller «und Konsorten».

Jetzt zerfällt die Handlung in Episoden. Oskar wird von den Nachbarsgören gezwungen, eine mit Urin und Ziegelsteinmehl versetzte Froschsuppe zu essen, worauf er aus Protest straßenweise Fensterglas zersingt. Oskar muß in einem Café auf seine Mama warten, die sich heimlich mit Jan Bronski in einem Hotelzimmer trifft. Oskar kauft mit seiner Mama von Zeit zu Zeit beim Spielwarenhändler Markus eine neue Blechtrommel. Markus macht Oskars Mama eine Liebeserklärung. Oskar trifft im Zirkus Busch den Liliputaner Bebra, der ihn auf die Stirn küßt und ihm den Rat gibt, immer auf der Tribüne zu sitzen und niemals vor der Tribüne zu stehen.

So wird die Nazizeit eingeleitet. Große national-sozialistische Kundgebungen werden beschrieben, doch Oskar ist nicht beeindruckt. Mit seiner Trommel bringt er einen Spielmannszug aus dem Takt und verführt ihn, Walzer und Charleston anstatt Nazimärsche zu spielen. Oskar will deswegen aber nicht als Widerstandskämpfer gelten, denn er trommelt mit gleicher Begeisterung gegen Rote und Schwarze, Pfadfinder und Zeugen Jehovas, Kyffhäuserbund und alle möglichen anderen Organisationen. Oskar bekennt: «Mein Werk war ein zerstörerisches» (S. 147). Oskars mutmaßlicher Vater Matzerath aber wird Parteigenosse.

Ehrbare Bürger, darunter Oskars mutmaßlicher Vater Jan Bronski, werden durch Oskars glaszersingende Stimme zum Diebstahl in Juweliergeschäften verleitet. Er sieht diese Beihilfe zum Diebstahl in doppeltem Licht. Einerseits bekennt er sich zum Bösen, das ihm die Verführung ehrlicher Menschen befiehlt. Andererseits glaubt er, diesen «ehrlichen» Menschen geholfen zu haben, sich zu erkennen, das heißt die Diebesnatur in sich zu sehen.

Oft begleitet Oskar seine schöne Mutter zur Beichte in die Kirche. Er erinnert sich, daß er bei seiner Taufe dem Satan nicht widersagt hat. Während die Mutter beichtet, besucht Oskar das Standbild der Jungfrau mit dem Kind. Er übergibt dem Jesusknaben seine Trommel, damit ihm dieser durch ein kleines Wunder sein Recht auf den Namen Jesus beweisen kann. Jesus trommelt nicht, und als Oskar den «blöden Nackedei» im Trommeln unterrichten will, wird er von den Hütern der Kirche überrascht und etwas rauh behandelt. Der wütende Oskar stellt an diesem Tage fest, daß Kirchenfenster seiner glaszerstörenden Stimme widerstehen.

Auf einem Ausflug beobachten Agnes, Alfred, Jan und Oskar einen Fischer, der mit einem Pferdekopf Aale fängt. Beim Anblick dieses ekelerregenden Bildes – von Grass im Detail beschrieben – muß sich Agnes übergeben, was ebenfalls in allen Einzelheiten geschildert wird. Agnes verliert nach diesem Vorfall den Willen zum Leben. Oskar beobachtet sie noch am selben Tag im Bett mit Jan Bronski, doch verweigert sie sich fortan beiden Männern, verkümmert schnell und stirbt bald an Gelbsucht und Fischvergiftung. Bei ihrer Bestattung wird der Jude Markus vom christlichen Friedhof verwiesen.

Die beiden eingeschalteten Episoden von Herbert Truczinski und der Galionsfigur Niobe zeigen Oskar lediglich als Beobachter. Das gleiche gilt von der Episode des Musikers Meyn, der wie Brechts

Puntila im betrunkenen Zustand menschlich und im nüchternen Zustand brutal ist. Der Spielwarenhändler Markus, Oskars «einziger Freund», begeht in der Kristallnacht Selbstmord. Durch seinen Tod, der das erste Buch beendet, wird Oskar noch mehr als bisher zum Außenseiter der Gesellschaft.

Jan Bronski wird im Jahre 1939 durch Oskars Zutun in die Verteidigung der Polnischen Post von Danzig verwickelt und von den Deutschen wegen Freischärlerei erschossen. Der Kampf um das Postgebäude wird von Grass mit allen historischen Einzelheiten genau beschrieben, wie er sich auch sonst mit peinlicher Gewissenhaftigkeit an geschichtliche Fakten hält (sofern er die Geschichte nicht als Farce zeichnet). Während die deutschen Truppen Europa überrennen, stellt Alfred Matzerath Maria Truczinski in sein Geschäft ein, die sich auch Oskars mütterlich annimmt. Dieser jedoch, der wohl die Gestalt eines Dreijährigen hat, dabei aber fünfzehn Jahre alt ist, macht Maria auf Brausepulver-Umwegen zu seiner Geliebten.

Oskar unterhält ein etwas bizarres Verhältnis mit Maria, und diese wird schwanger. Matzerath jedoch, mit dem sie sich ebenfalls eingelassen hat, glaubt Urheber der Schwangerschaft zu sein und beschließt, Maria zu heiraten. Oskar versucht noch einmal seinen Brausepulver-Trick an der deprimierten Maria, doch wird er mit Schimpfworten wie «Giftzwerg» rauh zurückgewiesen. Durch die Zurückweisung wird er in seiner selbstgewählten Isolierung bestätigt und bestärkt: «Ich schrie aber nicht, sondern erlaubte einem Haß, von mir Besitz zu ergreifen, der so seßhaft ist, daß ich ihn heute noch, sobald Maria mein Zimmer betritt, wie jenes Frottiertuch zwischen den Zähnen spüre» (S. 357).

In seinem Haß unternimmt Oskar einige Zeit später einen mißglückten Versuch, Maria mit einer spitzen Schere in den Bauch zu stoßen, um die Schwangerschaft zu unterbrechen. In fälliger Zeit wird Oskars Sohn geboren und in einer evangelischen Kirche auf den Namen Kurt getauft. Oskar als «schwärzester Katholik» weigert sich allerdings, die Kirche zu betreten. Er macht kurze Zeit danach die verschlampte und von ihrem Mann vernachlässigte Frau des Gemüsehändlers Greff zu seiner Mätresse, wobei er Greffs stillschweigender Duldung, sogar Förderung, sicher ist. Der penetrante Geruch der Greffschen wird mit der gleichen Ausführlichkeit wie früher der ranzige Buttergeruch unter der Großmutter Röcken oder der Vanillegeruch unter Marias Kleid beschrieben. Oskar betrachtet diese Erlebnisse als Teil seines Bildungsprozesses, seiner Lehrjahre, und er wendet sich vertrauensvoll an seine Leser: «Sie werden sagen: In welch begrenzter Welt mußte sich der junge Mensch heranbilden! Zwischen einem Kolonialwarengeschäft, einer Bäckerei und einer Gemüsehandlung mußte er sein Rüstzeug fürs spätere, mannhafte Leben zusammenlesen» (S. 378). Schließlich kommt auch dieses bizarre Verhältnis durch den Selbstmord des Gemüsehändlers, der als ehemaliger Pfadfinderführer und Verehrer von Knabenschönheit Schwierigkeiten mit den puritanischen Nazibehörden bekommen hatte, zu einem plötzlichen Ende.

Mit dem von ihm verehrten Meister Bebra macht Oskar, dem es in Danzig zu eng wird, eine Fronttheatertour nach Frankreich. Während eines Luftangriffes wird des Liliputaners Freundin Roswitha Raguna Oskars Geliebte. Die Handlung, bisher im epischen Präteritum vorgetragen, wird hier von einem kurzen Hörspiel weitergeführt, in das wiederum ein Gedicht «Am Atlantikwall» eingebaut ist. Die Katastrophe des mörderischen Krieges wird darin als bloßes Vorspiel der kommenden, der heutigen Spießbürgerepoche gesehen. Hierzu die mittlere Strophe des Gedichts:

> Noch schlafen wir in Drahtverhauen,
> verbuddeln in Latrinen Minen
> und träumen drauf von Gartenlauben,
> von Kegelbrüdern, Turteltauben,
> vom Kühlschrank, formschön Wasserspeier:
> wir nähern uns dem Biedermeier! (S. 419)

Durch eine Granate der landenden Kanadier, nicht ohne Oskars Zutun, verliert er seine nach Zimt und Muskat riechende Roswitha. Zum dritten Geburtstag seines Sohnes Kurt kehrt er nach Danzig zurück, wo er die Rolle des verlorenen Sohns spielt. Matzerath wird vom Gesundheitsministerium bedrängt, den Zwerg in eine Anstalt zu schicken, in den Tod also, doch weigert sich der sonst gefügige Kolonialwarenhändler standhaft. Oskar will auch aus seinem Sohn einen Trommler machen, und zu diesem Zweck schenkt er ihm eine Blechtrommel. Es kommt jedoch zu einer unerwarteten Reaktion: Kurt ist voller Mißtrauen, schlägt zuerst seinen Vater Oskar zusammen und macht dann ein Wrack aus der schönen Trommel. Oskar erkennt, daß sein dreijähriger Sohn aus den gleichen Motiven heraus handelt wie er selbst an seinem dritten Geburtstag, nämlich aus Ablehnung der Welt der Väter und aus Haß gegenüber dem Establishment.

Das Milieu der letzten Kriegsjahre, mit Kohlenklau und schaufelnden Ostarbeiterinnen und unzähligen anderen Details, wird von Grass mühelos und beiläufig im Erzählfluß wiederauferweckt. Oskar versucht noch einmal, den Jesusknaben in der Kirche zum Trommeln zu verleiten, und das Wunder geschieht. Jesus liefert den Beweis seiner Berufung, indem er ganz modern und zeitgemäß Lieder wie «Lili Marlen» und «Es geht alles vorüber» trommelt. Oskar ist eher bestürzt als beeindruckt, und es kommt zu einer Szene zwischen ihm und Jesus, in deren Verlauf Oskar in einer blasphemischen Parodie von Guareschis Episode in *Don Camillo und Peppone* von einem Wutausbruch in den anderen fällt. Oskar schreit Jesus ins Gesicht: «Ich hasse dich, Bürschchen, dich und deinen ganzen Klimbim.» Ein Wort Jesus' jedoch gibt Oskar später zu denken, obwohl er im Augenblick zu wütend ist, um es in seiner Tragweite zu würdigen: «Du bist Oskar, der Fels, und auf diesem Fels will ich meine Kirche bauen. Folge mir nach» (S. 444).

Oskar sieht sich eine Zeitlang nicht nur als Nachfolger Christi, sondern als Jesus selbst. Sein Leben ist voller biblischer Parallelen. Alfred Matzerath weigert sich weiterhin, ihn den Behörden zum eugenischen Kindermord auszuliefern. Grass versäumt es nicht, auch in hintergründige, düstere Szenen komisch wirkende, zeitgebundene Details zu streuen. Matzerath zerreißt den Auslieferungsantrag der Anstaltsleitung und schleudert die Fetzen «zwischen die Brotmarken, Fettmarken, Nährmittelmarken, Reisemarken, Schwerarbeitermarken, Schwerstarbeitermarken und zwischen die Marken für werdende und stillende Mütter» (S. 448). Die Beziehung zwischen den beiden Sphären ist nicht schwer zu erkennen: Der bürokratisch durchorganisierte totalitäre Staat greift in die letzten Belange des einzelnen ein, regelt Leben und Tod des Menschen bis in die kleinste Einzelheit.

Oskar bleibt also dem Leben und der Nachfolge Christi erhalten. In der Stäuberbande findet er seine Jünger, denen er sich einfach und schlicht vorstellt: «Ich bin Jesus.» Mit Umsicht leitet er die Geschicke der Handvoll Jugendlichen, bis er sich eines Nachts an Stelle der abgesägten Jesusstatue von ihnen anbeten läßt. Oskar gelingt sogar, was Jesus nie gelungen ist: Die Protestanten und die Katholiken unter der Bande vereinigen sich in gemeinsamer Anbetung des neuen Gottes. Als Höhepunkt der Schwarzen Messe erscheint dann die Kripo und verhaftet die ganze Kongregation, während Oskar in der Rolle des weinenden, von jugendlichen Verbrechern mißbrauchten Kindes leicht und unbekümmert nach Hause zurückkehrt. Der eigentliche Verführer spielt seine Rolle so gut, daß er die Verführten, seine Unterführer und Jünger nämlich, nicht eines Blickes mehr würdigt und sie ihrem Schicksal überläßt.

Die Besetzung Danzigs durch die Russen, mit Plünderungen, Vergewaltigungen und Erschießungen, wird von Oskar als Ulk, als halbwegs amüsanter Unfug geschildert. Während sich die Russen im Keller mit den schreienden Frauen vergnügen und die Männer zusehen müssen, beobachtet Oskar das Turnier einiger Läuse auf dem Kragen eines Kalmücken. Hier haben wir den eigentlichen Pars pro toto-Kniff des Autors. Die Laus eines Russen wird beschrieben, doch durch sie und über sie hinweg werden Männer lebendig mit erhobenen Händen, heulende Kinder, schreiende Frauen, vergewaltigende Soldaten und die ganze trostlose Situation von 1945.

Oskar will sich näher mit den Läusen beschäftigen und drückt deshalb Matzerath dessen Parteiabzeichen in die Hand. Diesen ergreift die Panik. Anstatt sich ruhig zu verhalten, versucht er das verräterische Abzeichen zu verschlucken. Es bleibt jedoch in seinem Rachen stecken, die Russen werden aufmerksam und schießen den würgenden Händler zusammen, worauf sie den Keller mit seinen zitternden Bewohnern verlassen. Oskar aber, der sein wachsendes Schuldkonto mit dem Namen seines Beschützers und zweiten mutmaßlichen Vaters bereichert hat, wendet sich wie am Anfang der Episode den auf dem Fußboden kriechenden Ameisen zu.

Mit weit ausholender Geste leitet Oskar die Ausweisung der Deutschen aus Danzig ein. Er fängt bei den Rugiern und Goten an und zählt alle Herrscher und Truppen und Völker auf, die in die Geschichte der Stadt eingriffen, bis schließlich 1945 mit «Sack und Pack» die Polen eintreffen. Im Ton der Farce, jedoch mit tieftraurigem, tragischen Untergrund wird die Geschichte des Herrn Fajngold erzählt, der das Matzerathsche Geschäft übernimmt und mit seiner nicht existierenden Familie spricht, die in den Öfen von Treblinka verschwand. Herr Fajngold glaubt, die Probleme dieser Welt mit Desinfektionsmitteln lösen zu können («Lysol ist wichtiger als das Leben»), denn er hat jahrelang im Konzentrationslager Chlor auf die Toten gestreut. Auf der Beerdigung Matzeraths, die mit Herrn Fajngolds Hilfe vonstatten geht, gesteht sich Oskar ein, daß er seinen

Vater mit Hilfe des Parteiabzeichens vorsätzlich getötet hat. Er beschließt, sich zu wandeln und wirft symbolischerweise seine Trommel mit Stöcken in das offene Grab. Sogleich trifft ihn ein von Kurtchen geworfener Stein am Hinterkopf, und er fällt selbst in das offene Grab. Der verrückte Schugger Leo glaubt in dem auferstandenen Oskar den Heiland selbst zu sehen, und er schreit in wilder Verzückung: «Der Herr, der Herr! ... Nu seht den Herrn, wie er wächst, nu seht, wie er wächst» (S. 505). Heilandt ist auch der Name des Mannes, der Oskar aus dem Grab hilft, doch ist dies wohl nur eines der vielen blinden Motive, die Grass seinen Interpreten zur Irreführung vorsetzt.

Wenn sich Schugger Leo auch im biblischen Sinne seiner Behauptung irrt, hat er doch im rein körperlichen Sinne recht. Aus dem vierundneunzig Zentimeter großen Oskar wird in den folgenden Wochen ein hunderteinundzwanzig Zentimeter großer, aus dem zurückgebliebenen Kind wird auf der Fahrt nach Westdeutschland ein mißgestalter Zwerg, denn beim Wachsen stellt sich ein häßlicher Buckel mit ein. Der Abschied von Danzig, von Großmutter Koljaiczek und Herrn Fajngold ist voller wehmütiger Tragikomik. Großmutter Koljaiczek, eine wie aus der Vorzeitsage übernommene Gestalt, spricht zum letztenmal zu Oskar:

> So isses nu mal mit de Kaschuben, Oskarchen. Die trefft es immer am Kopp. Aber ihr werd ja nu wägjehn nach drieben, wo besser is, und nur de Oma wird blaiben. Denn mit de Kaschuben kann man nich kaine Umzüge machen, die missen immer dablaiben und Koppchen hinhalten, damit de anderen drauftäppern können, weil unserains nich richtich polnisch is und nich richtig deitsch jenug, und wenn man Kaschub is, das raicht weder de Deitschen noch die Pollacken. De wollen es immer jenau haben (S. 516).

Aus chronischer Angst vor Rührseligkeit bemüht sich Grass während der Beschreibung des Abschieds von Danzig, seine Bewegung hinter saloppem, forschem Stil zu verbergen, was ihm nicht immer ganz gelingt. Westwärts rollen schließlich Oskar, Kurt und Maria mit anderen Umsiedlern in einem Zug, der immer wieder von bewaffneten Banden angehalten und ausgeraubt wird. Zurück bleibt die Weichselniederung, zurück bleiben die vier Röcke der Großmutter, die Oskar Schutz und Geborgenheit gaben. Der klägliche Haufen erreicht Westdeutschland ohne Gepäck und teilweise nur mit Unterwäsche bekleidet. Oskar wird hier zunächst in ein Krankenhaus eingeliefert, doch bald als geheilt entlassen.

Das dritte Buch zeigt die Flüchtlinge im westdeutschen Rumpfstaat. Oskar spielt nun nicht mehr das geistig und körperlich zurückgebliebene Kind, sondern bemüht sich in Volkshochschule und Theater um eine bessere Bildung. 1947 tritt er wie sein Vater Grass als Praktikant bei einem Steinmetz ins Geschäft ein, und er sieht sich in den Nächten fleißig unter den westdeutschen Mädchen um. Als Grabsteinhauer arbeitet er auf Friedhöfen und gibt seinem Schöpfer Grass damit die Gelegenheit, zwei seiner abscheulichsten, abstoßendsten Bravourstückchen einzuschieben. In dem einen wird das Ausdrücken eines Riesenfurunkels auf einem Grab beschrieben, während in der Nähe eine Beerdigung stattfindet und der Pfarrer mit lauter Stimme das Vaterunser aufsagt. Im anderen wird die im Zuge der Reparationsleistungen erfolgende Umbettung einer jungen, halbverwesten Frau mit allen Einzelheiten ausgewalzt.

Oskar ist auf dem besten Wege, ein ehrbarer Bürger und rechtschaffener Steinmetz zu werden. Er beschließt, seine ehemalige Geliebte Maria zu heiraten, wird aber abgewiesen. Nun wendet er sich endgültig vom bürgerlichen Leben ab und dem Künstlertum zu. Zuerst arbeitet er als Modell in der Düsseldorfer Kunstakademie. Man malt ihn in allen Stellungen und Posen, einmal sogar als trommelnden Jesusknaben. Das Trommeln bleibt jedoch nur Pose, obwohl man ihm die Trommel schenkt, denn Oskar hat nicht mehr getrommelt, seitdem er die Trommel seinem Vater ins Grab nachwarf. Er mietet sich zum erstenmal ein privates Zimmer und verliebt sich Hals über Kopf in eine Schwester Dorothea, die er nie gesehen hat. In seinem Zimmernachbarn Klepp lernt er einen höchst originellen Kauz kennen, der bei bester Gesundheit seine Tage im Bett verbringt. Um dem ehemaligen Jazzklarinettisten Klepp zu beweisen, daß er in der Musik mitreden kann, greift er zur Trommel und wird nach jahrelanger Unterbrechung wieder zum Blechtrommler. Klepp und Oskar beschließen, gemeinsam eine Jazzband zu gründen.

Oskar jedoch denkt Tag und Nacht an seine Zimmernachbarin, Schwester Dorothea. Eines Nachts überrascht er sie im Dunkeln auf der Toilette. Da er völlig nackt ist und nur mit einem Kokosläufer seine Blöße deckt, hält sie ihn für den Teufel. Oskar findet sich schnell in seine neue Rolle und will Schwester Dorothea als Satan verführen, doch sein Geschlecht läßt ihn im Stich. Das wunderlich-verschrobene Abenteuer kommt zu einem für Oskar demütigenden Ende: Schwester Dorothea läßt den nackten Oskar auf dem Kokosläufer liegen und versetzt ihm noch, da er sich an sie klammern will, einen Fußtritt. Der Zimmervermieter findet den häßlichen Zwerg nackt auf dem Läufer und nimmt eine drohende Haltung ein, bis der arme Oskar schließlich von seinem Freund Klepp erlöst wird.

Wie Günter Grass wird Oskar Jazzmusiker. Das Trommeln, das er in Danzig als Kind übte, wird nun sein Beruf. Es kommt zum grotesken Abenteuer im Zwiebelkeller, in dem die Nöte und Sorgen der Gäste durch Zwiebelschneiden in einem kathartischen, orgastischen Tränenstrom weggeschwemmt werden. Ein glatzköpfiger Schauspieler, der mit den Zähnen knirschen kann und deshalb der «Knirscher» heißt, wird dreimal in dieser Episode genannt: In *Hundejahre* spielt er dann als Walter Matern die Hauptrolle. Oskar aber inszeniert den Höhepunkt beziehungsweise den Tiefpunkt der Zwiebelkellerveranstaltung. Mit seiner Trommel verwandelt er die Gäste durch getrommelte Kinderlieder in Kleinkinder, die fröhlich und ausgelassen ihre Hosen nässen, eine echt Grass'sche Variation der «recherche du temps perdu».

Mit dem Künstler Lankes, einem Bekannten aus der Fronttheaterzeit, kehrt Oskar zu einem Besuch an den Atlantikwall zurück. Wie im Krieg wimmelt es am Strand von Nonnen, eines von Grass' großen Motiven. Während im Krieg die Nonnen mit Maschinengewehrfeuer in den Himmel geschickt wurden, führt diesmal Lankes die jüngste Nonne in die Hölle, indem er sie in dem ehemaligen Bunker verführt.

Endlich wird Oskar durch Bebras Vermittlung ein gefeierter Künstler, der auf glanzvollen Welttourneen reich wird. Auf einem Spaziergang im Wald bei Düsseldorf findet sein geliehener Hund in einem Roggenfeld einen Ringfinger mit Ring. Unmittelbar darauf macht er die Bekanntschaft seines neuen Freundes Gottfried von Vittlar. Oskar wird nun eine Zeitlang Herr Matzerath genannt, denn Vittlar übernimmt die Funktion des Erzählers in Form einer gerichtlichen Anzeige. Von Herrn Matzerath heißt es, er bewahre den Ringfinger in einem Weckglas und bete ihn gelegentlich an.

Wer glauben sollte, alles sei schon einmal dagewesen in der Gegenwartsliteratur, wird von Grass hier eines Besseren belehrt. Gottfried berichtet in der Anzeige, die polnische Kavallerie (ein anderes Lieblingsmotiv Grass') sei am 7. Juli 1951 bei Düsseldorf erschienen, um den 1939 wegen widerrechtlicher Verteidigung der polnischen Post zum Tode verurteilten Viktur Weluhn vor der Vollstreckung des Urteils zu retten und nach Polen zu entführen. Oskar fordert

Gottfried auf, ihn wegen der Ringfingergeschichte anzuzeigen, damit Gottfried berühmt werde. Um die Anzeige glaubhaft zu machen, flieht Oskar nach Paris, stellt sich aber der dort auf ihn wartenden Polizei mit den Worten: «Ich bin Jesus.» Im «dritten Prozeß Jesus'» wird Oskar wegen Mordes an der Krankenschwester Dorothea verurteilt und als unzurechnungsfähig in eine Heil- und Pflegeanstalt eingewiesen. Der Kreis ist geschlossen, erzählte Zeit und Erzählzeit decken sich.

Oskar ist zufrieden mit seinem Los. Im Bett der Heil- und Pflegeanstalt fühlt er sich sicher und geborgen vor den Wirren der Welt, wie er sich einst unter den Röcken der Großmutter sicher und geborgen gefühlt hatte. Er behauptet, unschuldig am Tode Schwester Dorotheas zu sein. Seine größte Sorge ist, man könnte den wahren Mörder finden und ihn, Oskar, wieder in die Welt aussetzen. Ob Oskar wirklich unschuldig am Tod der Schwester ist, wird nie restlos geklärt; vieles spricht dafür, vieles dagegen. Oskar ist jetzt dreißig Jahre alt, und er weiß, daß Jesus mit dreißig Jahren in die Welt ging, um Jünger zu sammeln. Er spricht von seiner unvermeidlichen Entlassung, die er eher fürchtet als herbeisehnt. Mit Hilfe seiner Trommel läßt er noch einmal alle Stationen seines Lebens leitmotivisch an sich vorüberziehen. Das Buch schließt mit einer ins Gigantisch-Dämonische erhobenen Schreckvision der Schwarzen Köchin.

Katz und Maus

Die Episoden über Joachim Mahlke waren ursprünglich als Teil der *Hundejahre* konzipiert, bis sie eigenes Gewicht annahmen und in Form der heutigen Novelle *Katz und Maus* von Mahlkes Freund Pilenz erzählt werden. Unter Maus wird Mahlkes Adamsapfel verstanden, der, von enormer Größe, seinem Träger einen lebenslangen Komplex verleiht. Die Katze ist am Anfang das junge Tier, das des schlafenden Mahlkes Adamsapfel für eine Maus hält und ihm an die Gurgel springt. Später versteht der Erzähler mit der leitmotivischen Wiederholung der Katze vor allem die lauernde Aufmerksamkeit von Mahlkes Umgebung, die ihn seinen riesigen Kehlkopf nicht vergessen läßt und ihn zu immer neuen Bravourleistungen treibt, um die Aufmerksamkeit abzulenken und in Beifall und Bewunderung zu verwandeln.

Wieder ist der Schauplatz der Handlung Danzig und die Weichselniederung. Zu Beginn des Krieges ist Mahlke vierzehn Jahre alt, ist etwas kränklich, kann weder schwimmen noch radfahren und fällt in keiner Weise auf. Mit dem plötzlichen Wachsen seines Adamsapfels stellt sich der bereits erwähnte Komplex ein. Er glaubt, sich auf allen Gebieten hervortun zu müssen und wird so zu einem guten Schwimmer und einem vorzüglichen Taucher. An seinem Hals hängen immer eine silberne Madonna sowie ein Schraubenzieher oder irgend ein anderes Objekt, das die Aufmerksamkeit der anderen ablenken soll. Auf dem Wrack eines halbgesunkenen polnischen Minensuchbootes zwingt Mahlke seine Schulkameraden zur widerstrebenden Anerkennung seiner taucherischen Höchstleistungen. Im übrigen ist Mahlke ein guter Schüler, kein Streber, läßt alle abschreiben und beteiligt sich nie an den «üblichen Sauereien» seiner Mitschüler. Neben seiner krankhaften Sucht nach Bewunderung hat Mahlke noch einen zweiten großen Tick: seine stark erotisch gefärbte Anbetung der Jungfrau Maria.

Aus religiösen Gründen weigert er sich, sonntags im «Jungvolk» Dienst zu tun, und so wird er aus dem «Jungvolk» geworfen und in die «Hitlerjugend» abgeschoben. Diese Standfestigkeit wiederum findet ein Echo bei seinen Schulkameraden in Form von «lauter Bewunderung». In der «Hitlerjugend» fällt Mahlke weder im guten noch im schlechten Sinne auf. Seinen eigentlichen Ruf begründet er im Gymnasium, keinen guten, keinen schlechten, einen «legendären» Ruf. Sein Bemühen um Anerkennung im Gymnasium, das nach seinem späteren Hinauswurf pathologische Formen annimmt, wird ihm schließlich zum Verhängnis.

Nichts tut Mahlke mit Maß, überall muß er hervorstechen. Lange weigert er sich auf dem Wrack, mit seinen Kameraden zur Unterhaltung der Tulla Pokriefke zu onanieren. Als er sich schließlich dazu überreden läßt, wird seine Darbietung eine nicht überbietbare Glanzleistung. Die Jungen fühlen sich von ihm gleichzeitig angezogen und abgestoßen; auf jeden Fall versuchen sie, ihn wo immer möglich nachzuahmen. Da Mahlke im dritten Kriegswinter zwei Wollbällchen, Puscheln genannt, an Stelle einer Krawatte am Hals trägt, tragen auch die anderen Jungen Puscheln. Pilenz sagt von Mahlke: «Er hatte immer Publikum.» Als allerdings ein ehemaliger Schüler – jetzt hochdekorierter Leutnant der Luftwaffe – einen Vortrag in seiner ehemaligen Schule hält, wirft Mahlke die lächerlichen Puscheln heimlich und voller Scham unter die Bank. Des Leutnants Halsschmuck, das Ritterkreuz, das selbst den Studienräten und dem Direktor der Schule Respekt abnötigt, übt eine übernatürliche Faszinierung auf ihn aus. Der Orden, den eine ganze Nation verehrt, würde er nicht an seinem eigenen Hals endlich ein Gegengewicht zu dem riesigen Adamsapfel bilden?

Durch seinen Komplex wird Mahlke zu immer neuen imposanten Schaustücken gepeitscht. Im Hohlraum des gesunkenen Schiffes entdeckt er einen über dem Wasserspiegel liegenden Raum, den nur er allein auf dem Tauchweg erreichen kann. Dieser Raum wird seine Klause, in der er die Jungfrau Maria auf seine Art verehrt. Den Höhepunkt, die eigentliche Glanzleistung seiner Anstrengungen aber vollbringt Mahlke beim Besuch eines schneidigen U-Boot-Kommandanten, dem ebenfalls der hohe Orden den Hals schmückt. Während der bewunderte Held mit den Jungen turnt, stiehlt ihm Mahlke in den Umkleideräumen das Ritterkreuz. Am darauffolgenden Sonntag promeniert er nackt auf dem Deck des Wrackes, während der Orden zuerst an seinem Hals und dann an seinem Geschlechtsteil baumelt. Der Held des Tages ist natürlich nicht der blamierte Kapitänleutnant, sondern Mahlke, der Große Mahlke, wie man ihn nunmehr nennt.

In Mahlke wühlt jedoch so etwas wie Hybris in einem griechischen Dramenhelden. Er will sich selbst übertreffen und meldet den Diebstahl dem Schuldirektor. Mahlke wird ohne Aufsehen in eine andere Schule abgeschoben. Wenn vorher sein Ziel eine glänzende Rolle in der alten Schule gewesen war, wird jetzt seine Rehabilitierung in dieser Schule das Ziel aller Wünsche. Einstweilen steigert er seinen erotikgeladenen Marienkult zu solchen Formen, daß selbst ein Priester von «übergroßem Glaubenseifer» und «heidnischem Götzendienst» spricht. Während Mahlke die Jungfrau anbetet, wartet er auf seine große Stunde.

Die Jungfrau verläßt ihn auch nicht, als er als Panzerschütze nach Rußland zieht. Während Pilenz zum Arbeitsdienst eingezogen wird, wo er neue Bestätigungen von Mahlkes legendärem Ruf erhält, schießt dieser mit Hilfe der Jungfrau einen russischen Panzer nach dem anderen ab. Eines Tages steht er dann auch ohne Maus in seinem alten Gymnasium, denn man hat ihm das einzige wirkungsvolle Mittel gegen die Maus, das Ritterkreuz, verliehen. Das Wort «Ritterkreuz» selbst wird von Grass sorgfältig vermieden, aus Angst vor dem Aufkommen eines falschen Pathos vermutlich. Statt dessen gefällt sich der Autor hier in komische Wirkung anstrebender asyndetischer Periphrase, die den Nimbus des Ordens in lächerlichem Licht erscheinen läßt: «... denn er hatte den besonderen Artikel am Hals, das Dingslamdei, den Magneten, das Gegenteil einer Zwiebel, galvanisierten Vierklee, des guten alten Schinkel Ausgeburt, den Bonbon, Apparat, das Ding Ding Ding, das Ichsprechesnichtaus» (S. 146).

Die große Rolle des heimkehrenden Helden, die Mahlke zu spielen gedachte, bleibt ihm jedoch versagt, denn man läßt ihn wegen der alten Geschichte nicht in seinem Gymnasium sprechen. Diese Rede, mit dem Ritterkreuz am Hals, hätte ihn wahrscheinlich mit seinem Adamsapfel, mit dem Leben versöhnt. Mahlke verliert nun den Kopf. Er ohrfeigt seinen früheren Direktor und wird fahnenflüchtig. Mit Pilenz, dem ewigen Zuschauer, fährt er zum letztenmal auf das Wrack, taucht noch einmal in seinen verborgenen Marientempel und wird nie mehr gesehen. Der Erzähler Pilenz aber, der ihm am Anfang eine richtige Katze an den Hals setzte, stellt nach dem Krieg ergebnislose Nachforschungen nach ihm an. Wie dem Blechtrommler Oskar läßt ihm sein Gewissen keine Ruhe, denn er fühlt seine Schuld an Mahlkes Schicksal. Mit den anderen hat er die Rolle der Katze gespielt, die mit Mahlkes wunder Stelle ein grausames Spiel trieb.

Hundejahre

Grass' zweiter Riesenroman ist mit 682 Seiten nur wenig kürzer als *Die Blechtrommel*. In epischer Überbreite erzählt der Autor die Geschichte der beiden Blutsbrüder Walter Matern und Eddi Amsel. Eng verwoben mit dieser Fabel ist die Geschichte der Hundedynastie Perkun, Senta, Harras und Prinz, deren Genealogie Grass in Parodie der Bibel und des klassischen Epos immer wieder ablaufen läßt. Matern und Amsel sind 1917 geboren, der eine als Müllerssohn in Nickelswalde, der andere als Sohn des getauften Juden und reichen Händlers Amsel, der vor der Geburt Eddis als Leutnant vor Verdun fällt.

In *Hundejahre* halten sich eine Fülle exakter historischer Einzelheiten die Waage mit einem Reichtum phantastischer Einfälle. Bei der Taufe Eddi Amsels, des späteren Vogelscheuchenbauers, kommt es zu einer Panik in der Vogelwelt. Walters Großmutter, die neun Jahre lang gelähmt im Stuhl gesessen hat, feiert zur gleichen Stunde eine dramatische Wiederauferstehung. Trotz solch großen Aufwandes entwickelt sich Amsel zu einem sehr gewöhnlichen dicken und sommersprossigen Bengel, der den Jungen zweier Dörfer als Prügelknabe dient, bis ihn der starke Walter Matern unter seine Obhut nimmt. Als Schöpfer von höchst wirkungsvollen Vogelscheuchen findet Amsel in Matern auch einen Partner, der ihm die Scheuchen verkauft. Obwohl Matern von Zeit zu Zeit revoltiert, wird er immer mehr abhängig von seinem sanften Freund.

Eingestreut in den Hauptstrang der Handlung sind unzählige Anekdoten und Episoden vorwiegend phantastischer Natur, von den milchtrinkenden Aalen über die kopflosen Ritter und Nonnen zu dem Müller Matern, dem die Mehlwürmer die Zukunft prophezeien. In Amsel aber entwickelt sich das immer stärker werdende Bedürfnis, zu imitieren und nachzuahmen, Aale, Ritter und Nonnen nicht ausgenommen. Die ganze Welt wird ihm zum Modell für seine Scheuchen. Jetzt zeichnet sich zum erstenmal der lebenslange Konflikt zwischen den beiden Freunden ab. Amsel will sich für seinen Scheuchenbau einen Totenschädel aneignen, den er mit Matern gefunden hat. Matern schlägt daraufhin Amsel mit dem Knüppel nieder und schimpft ihn einen Itzich, denn er glaubt den Juden in Amsel verantwortlich für den Mangel an Ehrfurcht. Amsel aber bleibt jetzt wie später im Leben der Überlegene, der gutmütig und spöttisch als Imitation des Englischlehrers mehrmals wiederholt: «Walter is a very silly boy.»

Die begabten Schüler Matern und Amsel werden in das Conradium nach Langfuhr versetzt. Amsel beendet seine Scheuchenbauerkarriere bis auf weiteres mit der Konstruktion einer greulichen Scheuche, dem Großen Vogel Piepmatz, vor dem selbst die Weichsel einen Bogen machen würde, hätte sie es gekonnt. In der Schule bleiben die beiden Freunde abgesondert von den übrigen, Amsel entwickelt sogar eine Geheimsprache für Matern und sich selbst. In einem Landschulheim im Saskoschiner Forst verbringen sie zwei Wochen mit den übrigen Schülern und dem bonbonlutschenden Studienrat Brunies. Matern übt sich im Kerzenschlagen für das Schlagballspiel, Amsel übt sich im Molchschwanzschlucken, um dem Schlagballspiel zu entkommen, und Studienrat Brunies übt sich im Wald im Bereiten von Malzbonbons. Hier findet er dann auch ein kleines schreiendes Bündel, das von Zigeunern ausgesetzt wurde: Jenny Brunies, seine zukünftige Pflegetochter. Der erste Teil des Buches, «Frühschichten» genannt, klingt aus mit dem öfters wiederholten Hinweis, daß Tulla

Pokriefke am 11. Juni 1927 geboren wurde, als Jenny Brunies sechs Monate alt war.

Im zweiten Buch, «Liebesbriefe» genannt, spinnt Tullas Cousin Harry Liebenau den Faden der Erzählung ohne merkbaren Übergang weiter. Allerdings treten in diesem Buch Jenny, Tulla und Harry den beiden Blutsbrüdern zur Seite, während diese zeitweilig im Hintergrund verblassen. Harry ist der Sohn des Tischlermeisters Liebenau, dessen Schäferhund Harras das Tier zeugen wird, das unter dem Namen Prinz in die Geschichte eingeht. Harras wiederum wurde gezeugt von der Hündin Senta des Müllers Matern, Walters Vater. Nicht nur die Gestalten, sondern auch die sich ablösenden Schäferhunde sind durch zahllose Beziehungen und Querverbindungen mit der Handlung verknüpft, so daß am Ende der Eindruck eines sorgfältig gewebten Gebildes hinterlassen wird.

Die Zeit zwischen 1927 und 1932 wird übersprungen. Im Sommer 1932 tauchen Amsel und Matern und mit ihnen Tulla, Jenny, Harry und Studienrat Brunies wieder auf. Die sechsjährige Tulla steht zumeist im Mittelpunkt aller Spannungen. Sie entpuppt sich als eine böswillige, verschlagene kleine Hexe, die der guten Jenny das Gruseln beibringt. Tulla trifft ein schwerer Schlag: ihr taubstummer Bruder Konrad, ihre einzige Liebe, ertrinkt beim Baden. Tulla schreit fünf Stunden lang, stellt sich anschließend taubstumm und verkriecht sich dann für eine Woche in Harras' Hütte, wo sie der Hund gegen ihre Eltern und den Tischlermeister in Schutz nimmt. Tulla in der Hundehütte ist eine der stärksten Episoden des Buches, nicht zuletzt wegen der spröden, unbeteiligten Sprache, mit der erzählt wird.

Harras wird berühmt, nachdem sein Nachkomme Prinz von der Stadt Danzig dem Führer geschenkt wird. (Dem *Spiegel* zufolge fand Grass dieses Detail in den Memoiren des ehemaligen Danziger Senatspräsidenten Rauschning.) Amsel zeichnet den Hund in verschiedenen Posen, und es kommt zum Zusammenstoß mit der eifersüchtigen Tulla, die mit dem Schimpfwort «Itzich» den Sieg davonträgt. In Otto Weiningers *Geschlecht und Charakter* liest Amsel, der Jude singe nicht und treibe keinen Sport. Um sich über sich selbst klar zu werden, wirft er sich auf die Musik und das Faustballspiel und wird bekannt als Sänger und Sportler. Seine Sportkarriere wird jedoch jäh unterbrochen, nachdem sein ebenfalls spielender Freund Matern wegen Verteilung roter Flugzettel aus dem Verein geworfen wird.

Dem Halbjuden Amsel wird der Austritt nahegelegt, und er widmet sich fortan ganz der Kunst, das heißt dem Bau von Vogelscheuchen. Besonders interessiert er sich jetzt für Scheuchen in SA-Uniformen. Er überredet deshalb seinen widerstrebenden Freund Matern, in die SA einzutreten, um auf diesem Weg ausgediente SA-Uniformen zu besorgen.

Nur mit großem Widerwillen läßt sich Matern zu diesem Freundschaftsdienst herbei, denn er ist im Herzen immer noch Kommunist. Einmal in der SA, findet er jedoch Gefallen an dem rauhen, herzlichen Ton, und der SA-Sturmführer Jochen Sawatzki wird sein Freund und Saufkumpan. Allmählich geht ihm sein Blutsbruder mit seinen SA-Scheuchen auf die Nerven, denn er wittert hier einen Zynismus auf Kosten seiner neuen Kameraden. Als schließlich Amsel eine Scheuchengruppe von neun mechanischen SA-Männern in seinen Garten stellt, kommt es zum dramatischen Bruch. Neun vermummte Männer steigen über den Zaun und schlagen Amsel zusammen. Einer von ihnen, der immerzu mit den Zähnen knirscht, schlägt dem Künstler alle zweiunddreißig Zähne aus. Dann wird der fette Amsel zu einem Schneemann gerollt und im Garten aufgestellt.

Parallel zu diesen Ereignissen wird die dicke Jenny Brunies von Tulla gezwungen, vor dem unheimlichen Gutenbergdenkmal im Schnee zu tanzen. Auch Jenny wird anschließend im Schnee gerollt und als Schneemann aufgestellt. Tauwetter setzt ein, und es kommt zu den beiden Schneewundern: den Schneemännern entsteigen eine gertenschlanke Jenny und ein ideal gewachsener Amsel, dem lediglich alle Zähne fehlen. Amsel setzt sich am selben Tag in den Zug und fährt nach Berlin, wo er seinen Mund mit Gold füllen läßt und als Ballettmeister Haseloff untertaucht. Die schwerelose Jenny Brunies dagegen wird eine kleine Ballettänzerin und der angebetete Abgott des ganzen Ortes. Sogar Tulla bemüht sich scheinbar demütig und reumütig um Jennys Gunst.

Matern aber verfällt der Schwermut und dann dem Alkohol. Wegen «Kameradendiebstahls» im angetrunkenen Zustand jagt man ihn aus der SA. Jetzt wird er wieder, was er schon immer war, nämlich katholisch. Unter dem Einfluß des Alkohols erscheint ihm mehrmals die Jungfrau Maria. Er verläßt ebenfalls Danzig und geht als Schauspieler nach Schwerin. Dort wird er bald wegen Trunkenheit entlassen und zieht nach Düsseldorf. Hier wendet er sich vom Katholizismus ab und wird wieder Kommunist. Als solcher kommt er zwei

Wochen in Untersuchungshaft, wo man ihm übel mitspielt. Es retten ihn schließlich sein Paß der Freien Stadt Danzig und die Tatsache, daß er sich freiwillig zur Wehrmacht meldet. Um Rache zu nehmen, kehrt er nach Danzig zurück: er vergiftet Harras, den Vater von Prinz, denn der Hund ist für ihn das Symbol des Nazismus und seiner eigenen Verderbnis.

Matern und Amsel treten eine Zeitlang in den Hintergrund, und es werden Episoden von Tulla, Jenny und ihren Freunden aneinandergereiht. Nach dem Schneewunder wird ein Eiswunder präsentiert: Jenny verbringt mit Harry eine Nacht im Eiskeller der Brauerei, in die man sie versehentlich einsperrt, wobei die falsche Tulla wieder ihre Hand im Spiel hat. Anstatt sich in der Kälte in einen Eisblock zu verwandeln, gibt Jenny dem frierenden Harry noch ihr dünnes Sommerkleidchen und erwartet in Unterwäsche den nächsten Morgen. Tulla wünscht sich verzweifelt ein Kind, läßt sich auch zu diesem Zweck mit jungen Männern ein, doch immer ohne Erfolg. Mehr Glück hat sie bei ihrem schlau berechneten Versuch, den zuckersüchtigen Studienrat Brunies des Diebstahls von Vitamintabletten zu überführen. Brunies, der ohnehin als Gegner des Naziregimes bekannt ist, kommt in das Konzentrationslager Stutthof, von wo er nie zurückkehrt. Harry Liebenau geht mit Jenny ins Kino, und während auf der Leinwand «Befreite Hände» mit Brigitte Horney abläuft, erkundschaftet Harry mit seinen eigenen Händen den Körper Jennys. Hinter grobem Ulk verbergen sich traurige, zarte Untertöne: Die alleinstehende Jenny versucht, in dem haltlosen Harry eine Stütze zu finden. Harry versagt, er will nicht. Der Abschied der beiden voneinander ist kläglich und beschämend, weil es gar nicht zum Abschiednehmen kommt. Als Haselhoff Jenny nach Berlin holt, will sie Harry ihren letzten Besuch abstatten, doch dieser läßt die Klingel läuten, ohne die Tür zu öffnen. Das Schrillen der Klingel aber bleibt Harry im Ohr.

Matern wird in Rußland verwundet und kommt als Feldwebel und Ausbilder zu einer Strandbatterie in die Nähe des KZ Stutthof bei Danzig. Es folgt eine der berühmten Grass'schen Ekelszenen, die Rattenjagd der Strandbatterie, erzählt im Heidegger-Stil. Tulla versucht nun, von den Jungen der Batterie ein Kind zu bekommen. Sie beweist den ungläubigen Flakhelfern, die im Heidegger-Deutsch an den wirklichen Problemen der Zeit vorbeireden, daß der weiße, übelriechende Berg im Lager Stutthof aus Menschenknochen besteht. Und endlich wird Tulla schwanger. Sie weiß nicht, wer der Vater ist, doch ist sie überglücklich. Wegen eines Sprunges von der Straßenbahn kommt es aber zu einer Fehlgeburt, die wiederum im Heidegger-Stil beschrieben wird:

> Den Bund der Hose knüpfte sie selber auf, den Rest besorgte Harry vorsichtig entsetzt neugierig: das fingergroße Zweimonatskind lag da in den Schlüpfern. Offenbargemacht: da. Schwamm in Gallerten: da. In blutigen auch farblosen Säften: da. Durch den Welteingang da. War ein Händchen voll: unbehalten, vorhaft, teilweise da. Grämlich in scharfer Dezemberluft da. Das Gründen als Stiften dampfte und kühlte rasch ab. Das Gründen als Bodennehmen und Tullas Taschentuch dazu. Entborgen in was? Von wem durchstimmt? Eingenommenheit, nie ohne Weltenthüllung. Darum Schlüpfer aus. Skihosen hoch, kein Kindchen sondern. Das war ne Wesensschau! (S. 385 f.)

Während der Krieg sich langsam seinem Ende nähert, tanzt Jenny Brunies durch das besetzte Europa, bis sie bei einem Luftangriff ihre Zehen verliert. Harry Liebenau wird in den letzten Kriegswochen zu den Panzergrenadieren eingezogen und an Führers letztem Geburtstag verwundet (wie Günter Grass). Die Russen dringen in Berlin ein, und der Hund Prinz entläuft seinem Herrn Adolf Hitler. Der Endkampf um die brennende Reichshauptstadt wird als große Farce, als Jagd auf Hitlers Hund geschildert, doch hinter dem vordergründigen Ulk wird das Grauenvolle und Hoffnungslose der letzten Straßenschlachten um so deutlicher sichtbar gemacht. Prinz wird nicht wieder eingefangen. Er setzt sich von den Russen nach Westen ab, wo er in Walter Matern einen neuen Herrn findet.

Während wir in den Münchhausiaden mit den phantastischen, grotesken Abenteuern und Reisen des Lügenbarons vertraut gemacht werden, zeigen uns die «Materniaden» den desillusionierten Kommunisten, SA-Mann, Katholiken und Antifaschisten Walter Matern auf ebenso phantastischen und grotesken Reiseabenteuern. Als Matern nach dem Krieg aus einem englischen Lager entlassen wird, erwartet ihn ein schwarzer Hund und läßt sich nicht verjagen. Matern akzeptiert das herrenlose Tier als Reisebegleiter und zieht mit ihm kreuz und quer durch das geteilte Deutschland. Nicht ziellos sind diese wirren Reisen. Matern sucht nacheinander alle die früheren Nazis auf, die seiner Meinung nach schuld sind an seinem moralischen Abstieg und Unglück. Wenn jemand das Milieu der deutschen Nachkriegsjahre, mit Rucksäcken, Schwarzhändlern, Zuckerrübenschnaps, schmutzigen Wartesälen und tausend anderen Einzelheiten detail- und wahrheitsgetreu nachgezeichnet hat, dann ist es Günter Grass in den «Materniaden».

Jede einzelne Materniade ist also eine Abrechnung des haßerfüllten Matern, der seinerseits ein schlechtes Gewissen in der Angelegenheit Eddy Amsel gewaltsam unterdrückt.

Der erste Racheakt gilt dem Führer selbst, dessen Bild er auf vierzigtausend Plakaten in der Zeche Pluto findet. Der Hund erkennt seinen früheren Herrn und heult seine Trauer zum Himmel. Als aber Matern seine Wut an dem verhaßten Urheber seiner Degradation austoben will, wird er von dem Hund daran gehindert. Matern erkennt, wessen Hund ihm zugelaufen ist. Er ruft ihn jedoch nicht Prinz, sondern tauft ihn nach der Zeche auf den Namen Pluto.

Auf der Männertoilette des Kölner Hauptbahnhofs findet Matern die Namen der «Ehemaligen», die er als Racheengel besuchen will. Die zweite Materniade gilt Jochen Sawatzki, dem früheren SA-Sturmführer in Langfuhr, der mit acht SA-Männern Eddi Amsel zusammengeschlagen und später Matern aus der SA geschaßt hatte. Der Schauspieler Matern kommt jedoch nicht dazu, seine Rolle zu spielen. Er wird als lieber Freund und alter Bekannter empfangen und teilt mit Sawatzki dessen Wohnung, Essen, Bett und Frau. Als er einmal das Gespräch auf Amsel lenkt, erinnert man ihn daran, daß er, Matern, einer der neun vermummten SA-Männer gewesen sei. Seine Rache kommt nicht zum Zuge, Sawatzkis Frau Inge verliebt sich in ihn und will mit ihm durchbrennen, doch Matern hat andere Pläne. Nach drei Wochen verläßt er die Sawatzkis und holt sich in Köln den nächsten Namen.

Dem ehemaligen Hauptmann Hufnagel, der Matern kurz vor Kriegsende wegen Führerbeleidigung vor ein Kriegsgericht mit anschließendem Strafbataillon schickte, defloriert er die «gelungene» Tochter. Hufnagel rechnet ihm vor, daß er ihn damals vor dem Schlimmsten bewahrt hat und daß der Krieg ihm selbst noch schlimmer als Matern mitgespielt hat. Als nächstes Opfer besucht er seinen ehemaligen Unteroffizier Leblich, der ihn im Krieg geschliffen hatte. Leblich liegt in einem Gipsverband und ist nicht das richtige Objekt für einen wutschnaubenden Racheengel. «Matern, nach seinen Wünschen befragt, blickt sich um und will Leblichs Frau; aber Veronika Leblich starb schon im März vierundvierzig im Luftschutzkeller. Da verlangt Matern nach Leblichs Tochter; aber die Sechsjährige geht seit neulich zur Schule und wohnt seitdem bei der Großmutter in Lemgo» (S. 462).

Diese beiden Sätze voller Tragikomik zeigen Grass als den souveränen Manipulierer der von ihm geschaffenen Situationen und Konfrontationen, die er gewandt und gekonnt entwickelt. Da Matern nicht unverrichteterweise abziehen will, tötet er wenigstens Leblichs Kanarienvogel, weil dieser den Krieg unbeschädigt überstanden hat. Einem ehemaligen Gerichtsassessor, der in einem Sondergericht den Fall Matern – Wehrkraftzersetzung und Führerbeleidigung – behandelt hatte, verbrennt er die wertvolle Briefmarkensammlung. Einem ehemaligen Feldgendarmen, der ihm wegen einer Prügelei die Offizierskarriere verbaut hatte, tötet er die Hühner. Nirgends fühlt sich Matern wohl in seiner Rolle. Sein Rachefeldzug wird von Fall zu Fall kläglicher, bis er sich schließlich in Saarbrücken einen «handfesten, städtischen und französisch besetzten Tripper» holt.

Jetzt hat Matern die passende Waffe gefunden, seine früheren Peiniger zu bestrafen. Vom Frühling bis Herbst 1947 macht er seine Reisen durch Deutschland, um Frauen und Töchter ehemaliger «Parteimittelgrößen» mit seinem antifaschistischen Tripper zu infizieren. Als er nach der vierundachtzigsten Materniade genug hat, heilt er sich durch Kontakt mit einer elektrischen Dose. Diese Wunderheilung mittels Stromschlag steht in bezug auf Originalität und grotesker Einmaligkeit ebenbürtig neben der Wunderheilung der gelähmten Großmutter und ist einer von Grass' «grassesten» Einfällen.

In der fünfundachtzigsten Materniade rechnet Matern und durch ihn Grass mit Heidegger ab, der gleichwohl nicht namentlich genannt wird. Matern räsoniert: «Der hat mich begleitet beim Segelfliegen und Schachspielen. Mit dem ging ich – Seele und Seele, Arm in Arm – Hafenkais hoch, die Langgasse runter ... Der wurde geboren in Messkirch. Das liegt bei Braunau am Inn. Der und der andere wurden abgenabelt im gleichen Zipfelmützenjahr. Der und der andere haben sich gegenseitig erfunden. Der und der andere werden einst auf dem gleichen Denkmalsockel» (S. 474). Es zeigt sich jedoch, daß die Zipfelmütze, wie Grass den Philosophen nennt, nicht zu fassen ist. Was Matern auch anstellt, seine Fäuste treffen immer ins Leere.

Jetzt kommt Matern auf den Hund. Die Frauen und Töchter der Parteimittelgrößen, an denen er Rache genommen hat, stellen dem Rächer nach und überschütten ihn mit Liebe und Mitleid. Sechsmal wird er von seiner eigenen Lustseuche angesteckt, sechsmal muß er sich mit seiner Roßkur heilen. Matern wird immer schwächer, bis er schließlich am Stock geht. So trifft ihn schließlich Inge Sawatzki, und sie nimmt sich seiner an: «Unumgänglich kommt sie, die Zuckerrübenfrau, bei der alle Rache ihren Anfang nahm, auf ihn zu: mitleidend mildtätig mütterlich. Inge Sawatzki schiebt einen Kinderwagen, in dem ein novemberliches Zuckerrübenfrüchtchen wohnt, das im Juli vor einem Jahr sirupsüß auf die Welt kam und seitdem Wally gerufen wird, aus Walburga gebildet; so sicher ist Inge Sawatzki, daß der Vater der kleinen Walli auf einen Vornamen hört, der mit W anfängt, wie Walter» (S. 481).

Bei den Sawatzkis und bei seinem sirupsüßen Töchterchen erlebt Matern die Währungsreform. Hier hört er zum erstenmal von einem geheimnisvollen Goldmäulchen, in dem er seinen früheren Freund und Blutsbruder vermutet. In der Ehe zu dritt kommt es zu Spannungen, und als Matern Inge im Wohnzimmer ohrfeigt, wird er samt Hund von Sawatzki aus der Wohnung geworfen. Inge geht freiwillig mit, ihr Kind müssen sie bei Sawatzki lassen. Es kommt zu der blasphemischen Szene im Beichtstuhl: während der Hund Pluto den Beichtvater mimt, mißbraucht und mißhandelt Matern seine Mätresse auf der anderen Seite des Gitters, bis sie blutend nach ihrem Mann stöhnt. Am nächsten Tag beabsichtigt Matern, einem ehemals braunen Priester mit einer Stricknadel das Trommelfell des Beichtohrs zu zerstechen. Durch Nachstellung der Epitheta parodiert Grass hier zur komischen Wirkung die Sprache der volkstümlichen Dichtung: «Oh Rache, sirupsüße! Oh Gerechtigkeit, kreuz und quer eisenbahnfahrende. Oh Namen, abgezinkte und noch abzuzinkende» (S. 487). Es stellt sich aber heraus, daß er dem Beichtvater das Gehör nicht mehr zerstören kann, denn dieser ist schon taub.

Zur großen Farce über das westdeutsche Wirtschaftswunder, nachträglich vom *Spiegel* (4. Nov. 1963) mit einer Bilderfolge der betroffenen Personen illustriert, kommt es in der siebenundachtzigsten Materniade. Der Müller Matern hat sein Mehlsäckchen in eine westdeutsche Bockmühle gerettet und berät nun mit Hilfe seiner Mehlwürmer die Magnaten aus allen Bereichen der Bundesrepublik. Für jeden wissen die Würmer Rat und Hilfe: «Backe aus Oetkers Backpulver eine Schiffsflotte. Rühre Oetkers Puddingpulver, lasse es aufkochen, erkalten, stürze es vorsichtig in alle sieben Weltmeere – und siehe da: Dr. Oetkers Tankschiffe schwimmen» (S. 502). Mit diesem Zerrspiegel des Wirtschaftswunders, in dem nach Grass der Wurm steckt, ist dem Dichter ein ironisches Paradestück von schwer zu überbietender Aktualität gelungen.

Zu seinem orakelnden Vater kehrt Walter Matern heim. Kein Konflikt zwischen den Generationen zeichnet sich ab, Vater und Sohn haben sich nicht viel zu sagen. Auf die Nachricht vom Tode der Mutter, der Tante und der alten Bekannten, die alle auf der Flucht über die Ostsee ertrunken sind, reagiert Walter Matern wie Camus' Meursault: «Da muß der Sohn, wie es sich gehört, nach Mutter und Tante fragen: ‹Ond Modder? Ond Tante Lorrchen? Häss Diä jetrennt von ihä?› Der Müller weist mit dem Daumen gegen den Mehlboden: ‹Dee send all abjesoopen onderwäjens.› Dem Sohn fällt ein, nach alten Bekannten zu fragen» (S. 505).

Walter geht seinem Vater eine Zeitlang als Hausmeister der Mühle zur Hand. Während er mit seinem Hund die westdeutsche Konjunktur genießt, findet er ideologisch den Weg zurück zum Kommunismus. Das Mühlenidyll dauert jedoch nicht lange. Ostdeutsche Agenten äschern die Mühle ein und entführen den Stifter westdeutschen Wohlstands nach Ostdeutschland. Der Sohn aber kehrt wieder bei Sawatzkis ein. Westdeutsche Dekadenzerscheinungen, in der *Blechtrommel* durch die Zwiebelkeller-Episode karikiert, werden in den *Hundejahren* durch das Leichenhalle-Vätellchen verzerrt und übersteigert beleuchtet. In dem esoterischen Restaurant, als Leichenhalle aufgemacht, nimmt Walter Anstoß an den Gummihandschuhen der Kellner, denn seiner Meinung nach gehen die Deutschen hier wie immer zu weit. In Materns eiferndem Monolog haben wir Grass Vokabular, Stil, Thematik, Ironie, Parodie und einiges andere mehr in Konzentration:

Irgendwo muß der Spaß ein Ende haben. Aber das ist wieder mal typisch: von einem Extrem ins andere und wollen immer den Teufel mit Beelzebub. Dabei ehrliche Makler, aber mit wenig Witz und viel zuviel Behagen. Außerdem lernen sie nie aus ihrer Geschichte: meinen immer, die anderen. Wollen partout die Kirche im Dorf und niemals gegen Windmühlen. Soweit ihre Zunge klingt: Wesen und Welt genese. Salome des Nichts. Gehn über Leichen nach Wolkenkuckucksheim. Haben immer den Beruf verfehlt. Wollen jederzeit alle Brüder werden und Millionen umarmen. Kommen bei Nacht und Nebel mit ihrem kategorischen Dingslamdei. Jeder Wechsel schreckt sie. Jedes Glück war niemals mit ihnen. Jede Freiheit wohnt auf zu hohen Bergen. Dabei allenfalls ein geographischer Begriff. In drangvoll fürchterliche Enge gekeilt. Revolutionen immer nur in der Musik und niemals das eigene Nest. Doch die besten Infanteristen, während die Artillerie bei den Franzosen. Viele große Komponisten und Erfinder sind. Kopernikus war nämlich kein Pole sondern. Sogar Marx hat sich als gefühlt. Aber müssen immer bis ans Ende aller Dinge (S. 522 f.).

Walter Matern wird wieder zum Faustballspieler, obgleich er schon fast zu alt ist für diesen Sport. Man macht ihn zum Schiedsrichter, doch kann er nicht von seinen kommunistischen Parolen lassen, und er wird wieder einmal von einem Ehrengericht aus einem Verein entfernt. Matern wird immer bitterer gegen die Welt, die ihn, den Unschuldigen, wie ein Stück Wild hetzt. Denn als Opfer, als Antifaschisten, als Verfolgten des Naziregimes gibt er sich schon lange aus, und er selbst glaubt an diese Rolle mehr als alle anderen. Da erscheint im Jahre 1955 auf dem westdeutschen Markt ein billiger Massenartikel, die Wunderbrille. Jugendliche, die mit diesen Brillen ihre Eltern betrachten, sehen genau, was diese zwischen 1933 und 1945 für Sünden begangen haben. Auch die kleine Walli Sawatzki, die wie Oskar Matzerath zwei vermutliche Väter hat, sieht ihre beiden Väter durch die neue Brille, und sie sieht zwei greuliche Ungeheuer, die mit anderen Ungeheuern einen armen lieben dicken Mann zusammenschlagen. Die Väter fühlen sich halbwegs schuldig, doch helfen sie sich gegenseitig mit großen Sprüchen aus der unangenehmen Situation. Sie machen sogar nachträglich aus ihrem ehemaligen SA-Sturm, der judenprügelnden Schlägerbande, eine Art Asyl der inneren Emigration.

Grass wird immer bissiger, sarkastischer. Walter Matern, Opfer des Faschismus, wird von Harry Liebenau in eine öffentliche Diskussion bugsiert, in der das angebliche Opfer als geistiger Zwillingsbruder Hitlers, jegliche Diskussionen aber als Zeitseuche entlarvt werden. Jetzt hat Matern endgültig genug vom «westdeutschen, kapitalistischen, militaristischen, revanchistischen und von alten Nazis durchsuppten Teilstaat ... – ihn lockt die aufbauwillige, friedensliebende, nahezu klassenlose, gesunde und ostelbische Deutsche Demokratische Republik» (S. 614). Also wechselt er das Lager. Doch die Vogelscheuchen, Gespenster der Vergangenheit, verfolgen ihn, wohin er sich auch wendet. In Berlin erwartet ihn kein anderer als Goldmäulchen, sein Blutsbruder Eddi Amsel, mit dem Taschenmesser, das er als Junge Walter Matern schenkte und das dieser damals aus Wut über die Überlegenheit des Freundes in die Weichsel warf. Matern will sich nicht erinnern, doch Goldmäulchen reizt ihn so lange mit seinen naiv-zynischen Bemerkungen, bis Matern die Wut packt und er das Taschenmesser, Symbol ihrer Freundschaft, zum zweitenmal ins Wasser wirft. Die alten Probleme existieren also immer noch, nichts ist gelöst, Matern und mit ihm Deutschland stolpert weiter im Kreis.

Die Handlung spitzt sich nun auf das Ende zu. In einer Parodie der *Göttlichen Komödie* besichtigen Matern und Goldmäulchen dessen Bergwerk, in dem Vogelscheuchen en gros hergestellt werden. Grass läßt die ganze Schöpfung als Vogelscheuchen am Leser vorbeiziehen, wobei Heidegger und die Innere Emigration einen würdigen Platz neben den bekannten Gestalten der deutschen Geschichte finden. Wiederholt entschlüpft Matern angesichts dieses grausigen Aufgebots der Ausruf: «Das ist die Hölle», doch Goldmäulchen-Brauxel quittiert: «Der Orkus ist oben.» Das Buch endet mit einem Bild, das die Einsamkeit, die Isolierung der beiden Blutsbrüder ausdrückt: «Beide sind wir nackt. Jeder badet für sich.»

III

Die Gestalten

Günter Grass hängt an seinen Gestalten in dem Sinne, daß er ihnen treu bleibt. Einige seiner Helden erscheinen in allen erzählerischen Werken; die meisten, auch die Nebengestalten, erscheinen zumindest in zweien; nur wenige treffen wir in nur einem einzigen Buch. Oskar Matzerath, Walter Matern, Eddi Amsel, Harry Liebenau, Jenny Brunies, Tulla Pokriefke, Joachim Mahlke und Heini Pilenz – hier haben wir schon die Hauptfiguren in dem Grass'schen Panoptikum, die in dem einen oder anderen Buch als Protagonisten ins Lampenlicht treten und in den übrigen Werken fast alle als Statisten agieren. Daneben ließen sich die Namen von etwa zwei Dutzend Gestalten aufzählen, die von Werk zu Werk wiederkehren und zusammen mit Danzig, Langfuhr und der Weichselniederung die Kulisse für das Geschehen abgeben. Die Verlegung der Handlung nach Westdeutschland, die in den Romanen parallel zum historischen Geschehen im Jahre 1945 vorgenommen wird, bringt nur wenige und relativ unbedeutende zusätzliche Personen auf den Plan, wogegen das Schicksal der bereits bekannten Personen weiter ausgesponnen wird. Man sollte Grass aber keinesfalls Liebe zu seinen Gestalten nachsagen. Allen seinen Geschöpfen hat der Autor so viele Schwächen, sogar abstoßende Eigenschaften zugeschoben, daß keine von ihnen den Leser zur Identifikation oder Nachahmung herausfordert. Die am positivsten gesehene Gestalt ist wahrscheinlich Jenny Brunies, die immer freundliche, hilfsbereite, liebenswürdige Tänzerin, die wie die Abgesandte einer besseren Welt neben Gören vom Schlage der Tulla Pokriefke wirkt. Am Ende der *Hundejahre* spricht Grass jedoch auch von ihr in krassen Ausdrücken und kruden Formulierungen. Sicherlich läuft diese Methode darauf hinaus, ein tragisches Schicksal, die Verwandlung einer schwerelosen Ballerina in ein schlottriges Gestell dem Leser einzuhämmern. Gleichzeitig verhindert sie aber jegliche Dickens'sche Verklärung und Romantisierung von Jenny.

In Abwandlung eines Begriffes der marxistischen Literaturkritik sollte man von den zentralen Gestalten Grass' als negativen Helden sprechen. Während der positive Held des sozialistischen Realismus idealisiert, unproblematisch, stereotyp-heroisch gezeichnet wird, haben wir bei Grass komplexe Individuen, die nicht nur der sozialistischen, sondern auch allen anderen Heilslehren skeptisch gegenüber stehen. Nicht daß sie überlegen über den ideologischen Auseinandersetzungen der Zeit thronen. Ganz im Gegenteil: Sie sind mit so wenig Urteilskraft ausgestattet, daß sie nur zu leicht Beute der Rattenfänger werden. Walter Matern etwa torkelt von einer Bewegung zur anderen und wird zwischendurch auch einmal fanatischer Katholik. Der utopische Traum dauert aber immer nur kurze Zeit, denn die Hohlheit des jeweiligen Systems bleibt auch naiven Figuren wie Matern nicht lange verborgen. Mit allen ihren Verschrobenheiten und sonderlichen Eigenschaften sind Grass' Geschöpfe jedoch individuell lebendige Figuren, Originale im schroffen Gegensatz zu den flachen, blassen Erzengelchen des sozialistischen Realismus. Schon auf der vierten Seite der *Blechtrommel* will sich Oskar als Individualist, als Held verstanden wissen und nicht als Nummer einer namen- und heldenlosen Masse.

Die Frauen bei Grass sind alles andere als holde, liebliche Geschöpfe. Sie sind ohne Ausnahme den Männern in einem vorchristlichen Sinne untergeordnet, zum Gebrauch beigegeben. Keine von ihnen gibt sich irgendwelchen Illusionen hin. Sogar Fräulein Oelling, die Cellistin, die von Erlösung durch Kunst, Glauben und Liebe spricht, läßt sich auf Anhieb von Matern auf einer Mülltonne verführen. Inge Sawatzki ist ähnlich beschaffen; sie ist verfügbar, wenn sie verlangt und gebraucht wird. Sie schläft mit zwei Männern gleichzeitig und ist bereit, sich jederzeit und überall von Matern «umlegen» zu lassen, ob es nun im Schnee oder in einem Beichtstuhl ist. Schon Großmutter Bronski ließ sich auf dem kaschubischen Kartoffelacker ein Kind zeugen von einem Mann, mit dem sie nie ein Wort gewechselt hatte. Ihre Tochter, Oskars arme Mama, gibt auf gut katholische, unkompliziert-natürliche Art Gott, was Gottes ist, und den Männern, was der Männer ist. Maria Truczinski schläft zuerst mit Matzerath dem Sohn, dann mit Matzerath dem Vater. Die Frau bei Grass paßt sich an, sie trägt dem körperlichen Bedürfnis des Mannes Rechnung, wenn und wann es von ihr verlangt wird. Von Liebe spricht man nicht; was unter dieser Bezeichnung läuft, ist eine physische Funktion wie Essen und Trinken. Keine edle, hohe Frau wird aus der Ferne angebetet; statt dessen beschreibt Grass des öfteren den Geruch eines männlichen Fingers, der im Kino oder sonstwo im Kontakt mit dem weiblichen Geschlechtsteil war.

Als skurrilste Gestalt des Grass'schen Werkes hat sich der Blechtrommler Oskar Matzerath einen Platz in der Weltliteratur ertrommelt. Wie Grass bekennt, sollte *Die Blechtrommel* ursprünglich aus dem Blickwinkel eines Säulenheiligen erzählt werden. Dies hätte wahrscheinlich zu einer künstlichen Starre geführt, und Grass ließ den Plan der Säulenperspektive frühzeitig fallen. Wie kam es also zur Schöpfung des Zwerges Oskar? In dem Interview mit Richard Kirn sagte Grass: «Bei Freunden von Freunden sah ich vor etwa sieben Jahren einen dreijährigen, mit einer Blechtrommel behängten Knaben. Händchen sollte er geben und guten Tag sagen. Er aber übersah die Erwachsenen, wollte den Tag keinen guten Tag nennen und hielt nur auf seine Trommel. Der Blickwinkel dieses Knaben wurde später zu Oskars Blickwinkel.» Nicht nur die Trommel, sondern auch der trotzige Infantilismus, von mehreren Kritikern bemerkt, hat sich von diesem lebenden Vorbild auf Oskar Matzerath übertragen.

Bezeichnend für Oskars komplexe, vieldeutige Gestalt ist das polyphone Echo, das Grass mit seinem Geschöpf in der Kritik gefunden hat. Fast jeder Kritiker, der über Grass schreibt, beschäftigt sich mehr oder weniger ausführlich mit Oskar, und es lohnt sich wohl, einige der prägnantesten Stellungnahmen aus der Menge herauszugreifen.

Günter Blöcker schreibt empört in seinem *Kritischen Lesebuch:* «Wir haben es hier – und das ist von bravouröser Widerwärtigkeit – mit einer totalen Existenzkarikatur zu tun: mit einem nicht nur frohlockend auf sich genommenen, sondern vollbewußt herbeigeführten Kretinismus, mit einer wütenden Intelligenz, die sich unter schnarrendem Gelächter in einen Froschleib zurückzieht, jede Verantwortung von sich weisend, nur bereit, zu schnuppern und zu schmatzen, zu kleckern und zu sabbern, auf eine Kindertrommel zu schlagen und Schaufensterscheiben und Einmachgläser zerscherben zu lassen.» – Die marxistische Kritikerin Irina Mletschina («Tertium non datur») vermißt bei Grass und seinem Oskar die moralische Überlegenheit über die korrumpierte Gesellschaft: «Sein Held ist eine ebensolche moralische Mißgeburt wie alle, die ihm auf seinem Weg begegnen, und er richtet die Welt nicht von höheren moralischen Positionen aus, sondern einfach aus Bosheit.» Marcel Reich-Ranicki urteilt in *Deutsche Literatur in West und Ost* wie folgt: «Jenseits aller Grundsätze des menschlichen Zusammenlebens verkörpert der abstoßende

Zwerg die absolute Inhumanität, die grausame, alle Differenzierung ausschließende Amoralität des kleinen Kindes.» Wilfried van der Will schließlich schreibt in *Pikaro heute* über den Schelm und modernen Pikaro Oskar: «Aber wie das Satirische selbst, so hat auch die Figur, durch die die Satire bewirkt wird, den Doppelaspekt des Tragikomischen. Denn trotz allen Spiels mit den Werten setzt die Figur des Pikaro auch selbst Werte: die Desillusion gegenüber dem Bestehenden und das im Hintergrund stets wach bleibende Verlangen nach Unschuld, die Zerstörung der Idole und der blasphemische Versuch, die Rolle des Messias zu übernehmen.»

Diese Stellungnahmen wurden nicht wahllos, sondern mit Absicht zusammengestellt. Hier fällen vier namhafte Kritiker völlig verschiedene, sich entgegengesetzte Urteile, von Blöckers Verdammung aus ästhetischen Gründen zu Reich-Ranickis lediglich registrierender Würdigung unter weitgehender Ausschaltung subjektiver Stellungnahme, von Mletschinas Ablehnung aus moralischen (sprich politischen) Gründen bis zu van der Wills Befund, der Held schaffte selbst Werte. Auch Leonard Forsters («Günter Grass») Feststellung, Oskar sei im Grunde ein literarischer Kunstgriff, eine fachkundige literarische Lösung eines formellen literarischen Problems, sagt lediglich etwas über Oskars «raison d'être» und über seine literartechnische Funktion im Roman. Daß Oskar mit seinem Zwergenkörper plötzlich aus dieser bescheidenen Rolle heraustritt und alle übrigen Gestalten im Werke Grass', in der modernen Literatur überhaupt an vieldeutiger Ausstrahlung übertrifft, bedarf kaum eines Beweises.

Um die seltsame, enigmatische Gestalt des Blechtrommlers auf irgendwelche Symbolgehalte festzulegen, fehlt es sicherlich nicht an Interpretationen, weder an reizvoll einleuchtenden noch an völlig widersinnigen. Man hat zum Beispiel den kleinen Oskar mit dem kleinen Goebbels, Oskars Trommel mit der Nazipropaganda und Oskars zerstörerische Stimme mit Hitlers Stimme auf einen Nenner gebracht (David E. Scherman in *Life*). Grass ist als interpretationsfeindlich bekannt, was sich nicht nur aus seinen Büchern ersehen läßt. Des öfteren führt er die Kritiker an der Nase herum und macht sich auf ihre Kosten lustig: Einem Interviewer erklärte er, Oskars glaszersingende Stimme könne als Analogie zu den deutschen V-Waffen gegen England betrachtet werden, was dieser auch gutgläubig zu Papier brachte. Wiederholt hat Grass behauptet, er habe keine Symbole in seinem Werk versteckt. Hier können wir ihm ohne weiteres glauben, sofern wir unter Symbol im Sinne Goethes das Besondere verstehen, in dem immer und überall das Allgemeine steckt. Grass' Welt ist sicherlich nicht die harmonische Welt Goethes, sondern eine in unzählbare Einzelteile zerfallende, letztlich absurde Welt. Wenn man trotzdem den Versuch macht, dem Blechtrommler und dem Grass'schen Werk etwas von seiner Unverbindlichkeit abzugewinnen, sollte es unter weniger verpflichtenden, unter anspruchsloseren Vorzeichen geschehen.

Oskar vereinigt in seiner Person eine Reihe von Kontrasten, von unvereinbaren Gegensätzen. Er liebt und verehrt Goethe, den klassischen, abgeklärten, humanistischen Dichterfürsten, er liebt aber im gleichen Maße den wüsten Gesundbeter Rasputin, den er in einem obskuren, wahrscheinlich drittklassigen Hintertreppenroman kennenlernt, dessen Name nicht einmal genannt wird. Er fühlt sich von Jesus und vom Satan gleichzeitig angezogen, und er hält mit beiden Zwiesprache. Der Katholizismus übt eine irrationale Faszination auf ihn aus, provoziert ihn aber auch zu Manifestationen von Lästerung und Blasphemie der schlimmsten Art. Zwischen Jan Bronski und Alfred Matzerath, zwischen Polen und Deutschland schwankt er unschlüssig hin und her. Zweideutig ist seine Haltung gegenüber Nationalsozialismus und Widerstand: Er verurteilt weder den einen noch den anderen, manchmal mockiert er sich über beide. Die schizophrene Verschrobenheit dieses wunderlichen Zwitterwesens zeigt sich besonders in den markanten Unterschieden zwischen Oskar ohne Trommel und Oskar mit Trommel.

Außer Norris W. Yates hat meines Wissens bisher niemand versucht, den trommelnden Oskar mit dem nicht-trommelnden zu vergleichen, was doch aufschlußreich sein sollte über Wesen von Trommel und Trommler zur gleichen Zeit. Von diesem Gesichtspunkt aus betrachtet, zerfällt Oskars Leben in vier Abschnitte. Bis zu seinem dritten Geburtstag ist er, wenn wir von seinem Intellekt absehen, ein normales Kind; das heißt, er wächst und entwickelt sich wie andere Kinder seines Alters. Am gleichen Tage, an dem man ihm die Trommel schenkt, unterbricht er vorsätzlich sein Wachstum und bleibt bis zum Begräbnis seines Vaters Matzerath ein Knirps mit dem Körper eines Dreijährigen. Am Begräbnistag beschließt er noch einmal zu wachsen. Gleich darauf trifft ihn der Stein am Kopf, der Oskar in die Grube schleudert und die zweite Wachstumsperiode auslöst.

Aus dem Grab steigt derselbe Oskar, und doch ist es ein gewandelter Oskar. Nach kurzer Besinnung nimmt er seine Trommel vom Hals und wirft sie zusammen mit den Stöcken in die offene Grube. Warum? Kurz vor diesem überraschenden Akt, am Ende seiner langen Reflexion, gebraucht er einen Ton und ein Vokabular, das für Oskar völlig neu ist. Er spricht nämlich von Maria und Kurt und von seiner, Oskars, Verantwortung für alle beide. Aus dem trommelnden, spielenden Oskar wird also ein nicht-trommelnder, verantwortungsbewußter Oskar, wie aus Thomas Manns spielendem, verantwortungslosem Joseph in der Grube ein Joseph der Ernährer wird. Als der verrückte Schugger Leo den aus dem Grab auferstandenen Oskar sieht, schreit er in Anlehnung und Parodie an die Worte Johannes des Täufers über Jesus: «Nu seht den Herrn, wie er wächst, nu seht, wie er wächst.» Noch sechsmal wiederholt Leo sein bedeutungsvolles «Er wächst», und Oskar wächst wirklich, nicht nur körperlich, sondern in jeder Beziehung. Während sich das körperliche Wachstum kurz nach dem Begräbnis des Parteigenossen Matzerath einstellt, wächst Oskar wenige Zeit nach seiner Ankunft in Westdeutschland wie Thomas Manns Joseph in die Rolle des Ernährers seiner Angehörigen.

Mehr noch als das: Oskar wird so etwas wie ein nützliches Glied der Gesellschaft. Er bildet sich. Er liest und geht ins Theater. Er belegt Kurse in der Volkshochschule, wird Stammgast im British Center «Die Brücke», diskutiert mit Katholiken und Protestanten über die deutsche Kollektivschuld. Er tut, was hunderttausend andere nach dem Krieg tun. Es ist wahr, daß alle diese Versuche vom schreibenden Oskar rückblickend entwertet und ins Lächerliche gerückt werden, denn schon nach zwei Jahren ist ihm das Leben der Erwachsenen «einerlei». Dennoch erkennt er auch nachträglich an, daß er dieser Zeit sein «bescheidenes, so doch großzügig lückenhaftes Bildungsniveau» verdanke. (Spricht hier der Autodidakt Grass selbst?) Oskar geht noch weiter, er arbeitet als Praktikant für einen Steinmetz, denn dem blühenden Schwarzhandel jener Jahre zieht er die ehrliche Arbeit vor. Im Mai 1948 spricht Maria davon, daß Oskar mit seinen schwachen Kräften für die ganze Familie aufkomme. Oskar erwidert, er «tue das gerne, nichts sei ihm lieber, als eine große Verantwortung tragen zu müssen». Dann macht er Maria einen Heiratsantrag, doch diese zögert und lehnt schließlich ab. Aus Oskar wird also kein Familienvater, kein Bürger und kein Steinmetz, sondern ein Narr, der mit der Trommel und dem Leben spielt und dem die Welt ein großes Narrenhaus ist. Oskar reflektiert rückblickend:

> Dabei hätte ich einen guten Bürger abgegeben. Die Zeit nach der Währungsreform, die – wie wir heute sehen – alle Voraussetzungen fürs momentan in Blüte stehende Biedermeier hatte, hätte auch Oskars biedermeierliche Züge fördern können. Als Ehemann, Biedermann hätte ich mich am Wiederaufbau beteiligt, hätte jetzt einen mittelgroßen Steinmetzbetrieb, gäbe dreißig Gesellen, Handlangern und Lehrlingen Lohn und Brot, wäre jener Mann, der alle neuerbauten Bürohochhäuser, Versicherungspaläste mit den beliebten Muschelkalk- und Travertinfassaden ansehnlich macht: Geschäftsmann, Biedermann, Ehemann – aber Maria gab mir einen Korb (S. 571).

Im Februar oder März 1949 wird Oskar zum erstenmal seit 1945 mit einer Blechtrommel konfrontiert, doch hält er der Versuchung stand. Auch als er schließlich als trommelnder Jesus posiert, trommelt er selbst nicht. Erst eine naive, nichts beabsichtigende Frage des Musikers Klepp treibt ihn unwiderstehlich zurück zu seiner Trommel. Klepp fragt, ob Oskar in Sachen Musik ein Urteil zuzutrauen sei. Oskar fühlt sich in sein Zimmer gepeitscht, um die Trommel zu holen und um Klepp damit sein Leben zu beichten. Die Irrfahrt ins bürgerliche Leben mit seinen Pflichten und Verantwortungen ist zu Ende, Oskar wird wieder zum Trommler, dann zum Schlagzeuger, dann zum Konzerttrommler, in anderen Worten: zum Künstler. Hans Magnus Enzensberger deutet die Trommel richtig, wenn er in «Wilhelm Meister, auf Blech getrommelt» schreibt: «Das alberne blecherne Spielzeug wird ihm zum Inbegriff der Kunst, einer wehr- und hilflosen, infantilen, destruktiven Kunst: Doch er bringt es weit in ihr, geht mit seiner Trommel gegen Gott und die Welt an und bleibt, traurig zwar und jenseits aller Hoffnung, doch bis zum Ende unbesiegt wie David, dessen Schleuder ja auch nichts weiter war als ein Kinderspielzeug.»

Finden wir bei Grass also einen neuen Aufguß des Konflikts Künstler-Bürger, der von Thomas Mann und anderen mehr als erschöpfend behandelt wurde? Ja und nein. Ja, weil der Gegensatz ohne Zweifel da ist, weil sich Oskar nacheinander von dem Dasein des Künstlers und dem des Bürgers angezogen fühlt. Nein, weil dieser Konflikt keinesfalls Oskars Fühlen und Handeln beherrscht, wie das bei Thomas Manns Gestalten der Fall ist. Zudem lebt Oskar nicht in einer relativ gesicherten, statischen Welt wie Tonio Kröger oder die Buddenbrooks, in der er sich ungestört seinen Reflexionen über Künstlertum und Bürgertum hingeben könnte. Oskar lebt in einer bedrohten Welt, und mehrmals ist seine nackte physische Existenz in Gefahr. Außerdem ist Oskar mit einem Faktor belastet, der seinen künstlerischen Neigungen die Waage hält – seine kalte, zersetzende Intelligenz.

Der überentwickelte, ultraviolett beleuchtende Verstand ist es, der Oskar von einem anderen literarischen Gnom unterscheidet, nämlich dem kleinen Prinzen Saint-Exupérys. Der Ausgangspunkt ist in beiden Fällen gleich: Aus der Zwergperspektive wird die Welt der Erwachsenen anvisiert, geprüft und schließlich verworfen. Während der kleine Prinz jedoch mit fühlender, manchmal ein wenig trauriger Liebe richtet, läßt sich Oskar nur zu kalter, gefühlloser Bestandsaufnahme herbei. Durch den kleinen Prinzen wird die Möglichkeit einer schöneren, besseren, einer mit Sternen, Blumen und Schafen besetzten Welt in greifbare Nähe gerückt, während der Blechtrommler das noch bestehende an Schönheit und Adel analysierend in den Schlamm zieht. Die Gestalten sprechen für sich: Saint-Exupéry wählt einen schönen Knaben, einen Prinzen, zum Sprachrohr seiner Kritik, während Grass uns einen überklugen, buckligen Balg zur keimfreien Abtötung jeder idealistischen Illusion präsentiert. Der Triumph des geistigen Menschen, des durchdringenden Verstandes, durch den sich Faust immer weitere Bereiche des Alls erschloß, wird durch Oskar in sein groteskes Gegenteil pervertiert. Oskar ist der Anti-Faust, der sich mit seinem ebenso hoch entwickelten Verstand in ein Schneckenhaus zurückzieht. Die Zerstörung aller Illusionen muß mitnichten auf solch einen Schluß hinauslaufen. Voltaire läßt seinen Candide nach dem Schiffbruch seines naiven Idealismus immerhin den Glauben an ein bescheidenes, einfaches Leben: «Il faut cultiver notre jardin.» Oskar dagegen schließt seinen Bericht mit einer Absage an das Leben, mit dem wohlerwogenen Entschluß, die einmal angenommene Rolle des Steppenwolfes logischerweise zu Ende zu spielen. In Oskar triumphiert die Isolierung des Intellekts von Gefühl und Seele. Wenn wir mit Nietzsche die Hoffnung der Menschheit in einer Renaissance des Gefühls sehen, bedeutet Oskar eine starke Negierung dieser Hoffnung.

Wir mögen über die Logik lächeln, mit der Oskar seine Beihilfe zum Diebstahl als «das Böse» darstellt: «Alleine schon deswegen war es das Böse, weil ich in dunklen Hauseingängen stand. Denn ein Hauseingang ist, wie bekannt sein sollte, der beliebteste Standort des

Bösen.» Es bleibt die Tatsache, daß Oskar das Offene scheut, daß er immer auf der Suche nach einem Versteck ist, nach einem Winkel, in den er sich verkriechen kann. Sein Ideal sind die Röcke der Großmutter, doch sucht er sich allerlei Ersatzverstecke, und jedes Verkriechen bedeutet ein neues Zugeständnis an das Böse, wenn auch nur böse im Sinne der bestehenden Ordnung. Der Liliputaner Bebra rät Oskar, seinen Platz nicht *vor* den Tribünen, sondern *auf* den Tribünen zu sehen, doch Oskar sieht ihn *unter* den Tribünen, und von dort aus trommelt er heillose Verwirrung in die Ordnung der Braunhemden. Er verkriecht sich im Kleiderschrank und beobachtet den Ehebruch seiner Mama mit Jan Bronski. Er sitzt unter dem Tisch und sieht, was dort im Verborgenen geschieht, während oben auf dem Tisch harmlos genug Skat gespielt wird. Alle diese Rückfälle ins Böse ereignen sich in Oskars Trommelzeit, und er selbst unterstreicht diese zeitliche Fixierung: «Oskar hat noch als trommelnder Oskar mehrmals die Unschuld verloren . . .» (S. 619). Nur ein einziger Fall von Verkriechen in die «Sünde» ereignet sich in der trommellosen Zeit: Oskar klettert in den Kleiderschrank der Schwester Dorothea, schließt die Türen und onaniert. Der Übergang in die zweite Trommelperiode steht jedoch unmittelbar bevor, und Oskar nimmt diesen Übergang symbolisch vorweg: «Nur um einen notwendigen Übergang zu schaffen, auch um den Aufenthalt im Schrankinneren, der mich wider Erwarten angestrengt hatte, spielerisch aufzulösen, trommelte ich – was ich seit Jahren nicht mehr getan hatte – einige lokkere Takte mehr oder weniger geschickt gegen die trockene hintere Kastenwand . . .» (S. 616). Der Rückfall in das Trommlerdasein ereignet sich in der nächsten Episode, und als Auftakt dieser erneuten Verbindung mit dem Bösen spielt Oskar für Schwester Dorothea die Rolle des Satans.

Wenn oben erwähnt wurde, daß sich Oskar sowohl von Jesus als vom Satan angezogen fühlt, so soll hier festgestellt werden, daß die größere Sympathie deutlich dem letzteren gehört. Bei der Taufe fragt man ihn, ob er dem Satan widersagen wolle: «Bevor ich den Kopf schütteln konnte – denn ich dachte nicht daran, zu verzichten – sagte Jan dreimal, stellvertretend für mich: ‹Ich widersage›» (S. 162). Oskar glaubt jedoch, daß er es mit dem Satan keinesfalls verdorben habe, und er läßt es auf einige Proben ankommen. Wer befahl Oskar, in dunklen Hauseingängen zu lauern und harmlose Bürger zum Diebstahl zu verführen? Oskar weiß die Antwort: «Es war das Böse.»

Am Tode seiner Mutter, seiner beiden «Väter», der Krankenschwester Dorothea ist Oskar anscheinend im legalen Sinne unschuldig, doch hat er in jedem Falle seine Hand im Spiel. Ohne den geringsten Skrupel überantwortet er seine gläubigen Jünger aus der Stäuberbande der Polizei, während er selbst nach der Jesusrolle die Judasrolle übernimmt. Die Reihe der Beispiele, in denen Oskar den gelehrigen Schüler des Satans spielt, ließe sich fortsetzen. Hier interessiert vor allem die Tatsache, daß alle diese Falschheiten von einem trommelnden Oskar begangen werden, daß er ohne die Trommel nicht nur ein bürgerliches, sondern auch ein ehrliches, anständiges Leben führt.

Es ließe sich hier einwenden, daß Oskar in seinen beiden Trommelperioden nicht nur die Rolle des Satans, sondern auch die Jesusrolle übernimmt. Hier besteht jedoch ein grundsätzlicher Unterschied. Wenn Oskar Satan spielt, ist er tatsächlich der Verführer, der Böse. Wenn er jedoch die Rolle von Christus spielt, übernimmt er keinesfalls dessen Attribute. Nie wird er auch nur im entferntesten Sinne so etwas wie ein Erlöser, was bei einer Gestalt wie Hauptmanns Narr in Christo noch der Fall ist. Auch in der Rolle von Jesus bleibt Oskar eher die Verkörperung des Bösen, der falsche Prophet, der Antichrist. Darüber hinaus ist er eine Karikatur des Künstlers, verwandt in Skurrilität mit Thomas Manns Spinelli, doch weit verzerrter, deformierter als dieser. In einem noch weiterem Sinne ist Oskar ein Zerrbild des modernen Menschen, preisgegeben mit seinen Schwächen und Komplexen in einer sinnlosen, doch wilden und bunten Welt. Sein vielschichtiger Charakter entgleitet auch dem gewissenhaften Interpretationsversuch und nimmt abseits von ihm zusätzliche Züge an. Das Verkriechen in einem Versteck, das der Gnom so fleißig übt, spielt er auch mit dem Leser, und durch nichts und niemand läßt er sich völlig aus diesem Versteck herauslocken.

Über Joachim Mahlke, den Helden von *Katz und Maus*, schreibt der Psychologe Emil Ottinger: «Der spillerige, steife, körperlich unproportionierte Schüler Joachim Mahlke ist in seinem konstitutionstypologischen Status ein lehrbuchmäßiger Leptosomer mit autistischer, sthenischer, anankastischer Schizoidie, ein eigenbrötlerischer Spaltsinniger mit verbissener Energie und einer Bereitschaft zu zwanghaften Verhaltensformen» («Zur mehrdimensionalen Erklärung ...», S. 177). Während sich Oskar Matzerath hartnäckig einer letzten Deutung verschließt, läßt sich der Charakter von Joachim Mahlke relativ leicht fixieren. Die Geschichte beginnt in medias res: Man setzt Mahlke eine Katze an den Hals. Dann wird die Vorgeschichte aufgerollt. Der vierzehnjährige Mahlke wird als ein etwas kränklicher Junge geschildert, der durch nichts auffällt. Er kann weder schwimmen noch radfahren und ist in der Schule vom Turnen suspendiert. Mit dem anomalen Wachsen seines Adamsapfels verwandelt sich Mahlke, ein Junge wie viele, in einen besonderen Fall, in einen Stigmatisierten. Er kann seinen Riesenknorpel nicht vergessen, und wenn er es könnte, die Umwelt würde ihn in sein Gedächtnis zurückrufen. Er verwandelt sich also in die Maus, die von der Umgebung wie von einer Katze gejagt wird. Fortan sieht er es als seine eigentliche Aufgabe an, die Aufmerksamkeit von seinem Hals abzulenken, sei es durch das Tragen von irgendwelchen seltsamen Objekten, sei es durch Höchstleistungen auf den verschiedensten Gebieten, wodurch er sich dann auch wirklich den Respekt seiner Kameraden erzwingt.

Mit seinen instinktiven Abwehrmechanismen setzt sich Mahlke erfolgreich durch. Daß er schließlich am Ende scheitert, liegt nur zum Teil an seinem krankhaften Kompensationstrieb. Neben einer unglücklichen Verkettung von Umständen ist es besonders der Widerstand der anderen, der ihn in sein Verderben treibt. Das unnachsichtige Verhalten der Umwelt wiederum ist weniger auf grundsätzliche Böswilligkeit als auf natürliche Abwehrreaktion des Normalbürgers zurückzuführen, der sich und die bestehende Ordnung von einem Außenseiter herausgefordert fühlt. Dies ist besonders bei Studienrat Klohse der Fall, der zudem noch eine Institution repräsentiert. Oder es handelt sich (wie bei dem Erzähler Pilenz) um den Versuch, sich aus dem magischen Einfluß des älteren Mitschülers zu lösen und auf eigenen Füßen zu stehen. In beiden Fällen haben wir es also mit einem Circulus vitiosus zu tun, denn beide Verhaltensweisen lassen sich letztlich wieder auf Mahlkes Kompensationszwang, also auf seinen Adamsapfel zurückführen. Emil Ottinger schreibt dazu vom psychologischen Standpunkt:

Mahlke ist auffällig frühreif. Das ist eine biologische Belastung. Er gerät in die Isolation, weil er mit dem Gehabe der Gleichaltrigen nicht mehr übereinstimmt. Das ist eine gemütsmäßige Belastung. Er wird angefeindet, weil er durch sein Anderssein das Klassenkollektiv provoziert. Das ist eine sozialpsychologische Belastung. Er muß auf Grund seiner Veranlagung strapaziöse und übertriebene Kompensationsversuche machen. Das ist eine konstitutionelle Belastung. Er gerät in einen anhaltenden und verschrobenen Kompensationszwang. Das ist eine neurotische Belastung. Er versucht, durch Aggression die neurotische Verstrickung zu lösen. Das führt zu moralischer Belastung, nachdem die Gesellschaft repressiv geworden ist. Man verweigert ihm die Rehabilitierung aus nachtragenden Affekten. Das wird zur existentiellen Belastung («Denn was mit Katze ...», S. 237).

Für Joachim Mahlke hat Grass in der Person des Erzählers Pilenz einen *foil* geschaffen, einen parallelen, ergänzenden Charakter, durch den die Hauptperson erst profiliert und plastisch wirkt. (Die meisten Grass'schen Gestalten erscheinen auf diese Weise ergänzt: Alfred Matzerath – Jan Bronski, Mahlke – Pilenz, Amsel – Matern, Tulla – Jenny, von den Nebengestalten zu schweigen. Oskars *foil* ist seine Trommel, ein magisches Instrument, das eine allen Personen des Romans übergeordnete Rolle spielt.) Wenn wir berücksichtigen, daß sich die Novelle *Katz und Maus* aus einigen Episoden der *Hundejahre* selbständig machte, wenn wir ferner Zeit der Handlung sowie Alter und Charakter des Erzählers Pilenz berücksichtigen, können wir unschwer den Erzähler Harry Liebenau der «Liebesbriefe» in ihm erkennen. Hier wie dort haben wir einen Beobachter, einen «Nichttäter», einen Mitläufer, der überall dabei ist, aber nirgends die Initiative ergreift. Sogar der Schuldkomplex ist beiden Gestalten gemeinsam. Nach Harrys Weigerung, die Tür auf Jennys Läuten hin zu öffnen, schreibt er: «Das wird mir im Ohr bleiben, was unsere Klingel viermal wiederholte ... Auch das Motorengeräusch eines davonfahrenden Autos ... ist mir geblieben und wird wohl dauern» (*Hundejahre,* S. 345). Dieser Schuldkomplex, der bei Harry am Rande erscheint, ist bei Pilenz das treibende Element, der eigentliche Grund, warum er seine Erinnerungen zu Papier bringt.

Wie Matern unter dem Einfluß von Amsel steht, so steht Pilenz unter der magischen Anziehungskraft von Mahlke. Wie Matern möchte auch Pilenz aus diesem Bann ausbrechen, doch dem einen wie dem andern will es nicht gelingen. Wider seinen Willen gerät er immer wieder in Mahlkes Fahrwasser, bis er am Ende halbherzig an Mahlkes wahrscheinlichem Untergang mitwirkt. Ebensowenig wie Oskar ist Pilenz ein Mörder im juristischen Sinne des Wortes. Er führt Mahlkes Tod eher durch Unterlassungen und gelegentliche Nachhilfe als durch planmäßiges, aktives Handeln herbei, wobei er wieder seine Verwandtschaft mit Harry Liebenau beweist. Er lügt Mahlke nach dessen Desertion vor, man hätte zu Hause nach ihm gefragt, man hätte seine Mutter abgeholt. Durch diese Lügen verbaut er ihm die Rückkehr zur Front, die hier vielleicht noch möglich gewesen wäre, und er treibt ihn auf dem eingeschlagenen Wege weiter. Dann läßt er den geschwächten Mahlke mit zwei Konservendosen Schmalzfleisch auf dem Wrack, sorgt aber dafür, daß dieser den Büchsenöffner vergißt, den Pilenz dann ins Wasser schleudert. Schließlich unterläßt er es, auf das gesunkene Schiff zurückzukehren, wie er es versprochen hatte. Jetzt endlich glaubt er frei und selbständig zu sein, denn nach menschlichem Ermessen ist Mahlke nicht mehr unter den Lebenden. Der verschwundene Mahlke erweist sich jedoch noch stärker als der Mahlke aus Fleisch und Blut. Sein Bild verfolgt Pilenz wie Banquos Gespenst den Macbeth. Da er dem ehemaligen Freund nicht entfliehen kann, versucht er das Gegenteil: Er sucht ihn überall, im Zirkus, in Wochenschauen über Tauchübungen, auf dem Treffen der überlebenden Ritterkreuzträger. (Das Wort «Ritterkreuz», peinlich vermieden in der ganzen Novelle, erscheint zum ersten und einzigen Mal im letzten Absatz.) Mahlke läßt sich weder verdrängen noch finden. So haben wir denn am Ende einen Pilenz, der sich durch Schreiben von seiner Vergangenheit zu befreien sucht: «Aber ich schreibe, denn das muß weg.» Dürfen wir in dem Erzähler Pilenz autobiographische Züge des Erzählers Grass vermuten? Vielleicht ist es nicht zufällig, daß Pilenz wie später Harry im Einsatz bei Cottbus erwähnt wird, wo Grass 1945 verwundet wurde.

Von Amsel alias Goldmäulchen heißt es, er habe «lauter perfide Lobsprüche» für das deutsche Volk, seine Liebe winde «zynischen Lorbeer». Was Walter Matern von dem jungen Eddi Amsel denkt, sagt er viele Jahre später von Goldmäulchen: «Nichts ist ihm heilig. Und immer alle Werte auf den Kopf gestellt.» Goldmäulchens Lieblingsthema ist auch eines von Grass' Lieblingsthemen: «Die Preußen im allgemeinen und die Deutschen im besonderen.» Über die Deutschen spricht Goldmäulchen doppelzüngig zweideutig: «Nein, lieber Walter, Du magst Deinem großen Vaterland noch so sehr grollen – ich jedoch liebe die Deutschen. Ach, wie sind sie geheimnisvoll und erfüllt von gottwohlgefälliger Vergeßlichkeit! So kochen sie ihr Erbsensüppchen auf blauen Gasflammen und denken sich nichts dabei. Zudem werden nirgendwo auf der Welt so braune und so sämige Mehlsoßen zubereitet wie hierzulande» (S. 646). Dies ist der Grundton bei Grass, sobald von den Deutschen die Rede ist, und es ist recht oft von ihnen die Rede, und öfters noch von den Deutschen und den Juden zusammen. Die Blutsbruderschaft zwischen dem Zähneknirscher Matern und dem Halbjuden Eddi Amsel ist symbolisch für die Ambivalenz der Beziehungen zwischen Deutschen und Juden. Matern ist der treue Freund und Beschützer Amsels, obwohl er verschiedentlich vergeblich versucht, der geistigen Bevormundung und Überlegenheit seines Freundes zu entkommen. Das Buch beginnt mit der Szene, in welcher Matern sein Taschenmesser, das Geschenk Amsels und Symbol ihrer Freundschaft und Blutsbrüderschaft, unter Zähneknirschen in die Weichsel schleudert. Der spätere Bruch der Freundschaft, von Matern gewaltsam herbeigeführt, wird also schon auf den ersten Seiten angedeutet. Zur Zeit der deutschen Judenverfolgungen trennen sich dann auch Amsels und Materns Wege, nachdem dieser dem Freund alle zweiunddreißig Zähne ausgeschlagen hat.

Zynische Nivellierungstendenzen zeigt Grass auf den verschiedensten Ebenen, und seine Gestalten, besonders die Protagonisten, tun es ihm fleißig nach. Dem Blechtrommelkünstler Oskar ist kaum etwas heilig, alles gleich verachtenswert: Er trommelt gegen Schwarze, Rote und Braune, wobei er noch ausdrücklich betont, er sei kein Widerstandskämpfer, kämpfe also nicht etwa für eine andere, bessere Gesellschaft. Eddi Amsel, die einzige Künstlergestalt in *Hundejahre*, schafft greuliche, groteske Vogelscheuchen nach dem Bilde des Menschen. So greulich und grotesk sind diese menschlichen Ebenbilder, daß in der Vogelwelt Panik auf Panik ausbricht. Besonderen Erfolg hat er mit einer Gruppe Scheuchen, die er in SA- und Parteiuniformen einkleidet. Und wen stellen diese Monstren dar? Nicht etwa Nazigrößen, wie man vorschnell annehmen könnte, obwohl diese von dem Reigen keineswegs ausgeschlossen sind. Nein, Gerhart Hauptmann marschiert da als SA-Mann neben Willi Birgel und Emil Jannings, Max Schmeling neben Pacelli, SA-Mann Friedrich von Schiller neben den SA-Männern Goethe, Herbert Norkus, Horst Wessel, Otto Weininger und Eddi Amsel selbst. Dieser nivellierende Zynismus ist schließlich sogar dem Freund Matern zuviel: Zähneknirschend gibt er zu verstehen, daß irgendwo der Spaß aufhören müsse, daß es auch in der SA und der Partei Leute gebe, die ein Ziel vor Augen hätten, «Pfundskerle und nicht nur Schweinehunde». Eddi Amsels Antwort ist interessant und aufschlußreich, denn sie wirft ein Licht nicht nur auf Amsel, sondern auch auf seinen Schöpfer Grass selbst: «Amsel entgegnete, genau das sei seine künstlerische

Absicht, keinerlei Kritik wolle er äußern, sondern Pfundskerle wie Schweinehunde, gemischt und gewürfelt, wie nun mal das Leben spiele, mit künstlerischen Mitteln produzieren» (S. 237).

Der Vogelscheuchenbauer Eduard Amsel, «gut evangelisch» getauft und holländisch-jüdisch-deutscher Herkunft, der sich weder der Kirche noch einer ethnischen oder weltanschaulichen Gruppe zugehörig fühlt, ist eine Karikatur seines geistigen Vaters, des Romanciers Günter Grass, katholisch getauft und kaschubisch-polnisch-deutscher Herkunft. Mit seinem Freund Matern besucht Amsel das Gymnasium in Danzig-Langfuhr, dem Geburtsort von Grass. Wie Grass beschäftigt er sich mit Zeichnen und der Herstellung von «Vogelscheuchen», anstatt «etwas Ordentliches zu studieren». Die Nazis wie alle übrigen Freunde und Feinde betrachtet er eher aus der Distanz des bildenden Künstlers. Während Matern der Aktive, der Schläger ist, spielt Amsel die antipodische Rolle des Passiven, des immer Geschlagenen. Trotzdem übt er eine undefinierbare Macht aus über seinen Freund Matern, eine geistige, spirituelle Überlegenheit und Anziehungskraft. Formell identifiziert sich Grass mit Harry Liebenau, Walter Matern und Eddi Amsel, indem er sie zu seinen Erzählern ernennt, zum Autorenkollektiv, das den Roman für ihn erzählt. Besonders identifiziert er sich wiederum mit dem Künstler Amsel, denn innerhalb des Autorenkollektivs führt Amsel-Brauxel Regie: Nach seinen Angaben, unter seinem Drängen schreiben Liebenau und Matern ihren Beitrag zu dem Buch. (In der Beschreibung des Alltags von Brauxel finden sich mehrere versteckte Hinweise auf den Alltag von Günter Grass.) Auf einer anderen Ebene kommt die geistige Verwandtschaft zwischen Grass und Amsel, zwischen Schöpfer und Geschöpf, noch deutlicher zum Ausdruck. Amsel als Künstler baut seine Vogelscheuchen als Abbild des Menschen: «Die Vogelscheuche wird nach dem Bilde des Menschen erschaffen.» Auf die Parallele zur Schöpfungsgeschichte braucht nicht hingewiesen zu werden, doch können wir sie ohne weiteres auf ein drittes Glied erweitern. So wie Gott den Menschen ihm zum Bilde schuf und so wie der Mensch und Künstler Amsel Vogelscheuchen nach dem Bilde des Menschen schafft, so schafft der Künstler Grass seine Gestalten, deformiert, grotesk und verzerrt, um das Deformierte, Groteske und Verzerrte im Menschen besser zu zeigen. Nach dem von Grass so oft geschmähten Heidegger geht es im künstlerischen Schöpfungsprozeß vor allem um die Wahrheit. Die Essenz der Wahrheit über die SA, von Grass gesehen, stellt Amsel in seinen SA-Scheuchen dar: eine Gruppe automatisierter, mechanisierter Gestalten, die durch Druck eines Knopfes jede gewünschte Handlung vollziehen.

Von Amsel alias Haseloff heißt es: «Er ist wirklich ein komischer Kerl und schreibt tausend Einzelheiten, die anderen nicht auffallen. Aber Papa sagt, er hat in Berlin Erfolg» (S. 329). Amsel ist Künstler um der Kunst willen. Nie nimmt er Stellung zu den Problemen des Tages, bestenfalls analysiert er sie in seiner distanzierten, von Matern als zynisch bezeichneten Art. Er bekennt sich zu dieser zweckfreien, tendenzlosen Kunst: «Gegen niemanden baute er, aus formalen Gründen. Allenfalls hatte er vor, einer gefährlich produktiven Umwelt seinerseits Produktivität zu beweisen» (S. 218). Während sein Freund Matern überall anstößt, weil er überall Partei ergreift, versucht Amsel der Zeit gerecht zu werden, indem er sich heraushält. Daß auch er gebrannt wird, liegt nicht an ihm, sondern an der Zeit. Und während der Knirscher Matern überall korrigieren will, ist Amsel eine Hochstaplernatur wie Felix Krull, der nach Bedarf seinen Namen wechselt, der die Welt akzeptiert, wie sie ist, und nicht, wie sie sein könnte, und der sich von allen Wellen tragen läßt. Wichtig für ihn ist allein die Kunst, und die Welt ist für ihn so etwas wie ein amüsantes Narrenhaus, aus dem man mit einigem Geschick Material zum Geschichtenerzählen beziehen kann. Während Jennys Bude abbrennt, philosophiert Amsel: «Erzählt, Kinder, erzählt... Laßt den Faden nicht abreißen, Kinder! Denn solange wir noch Geschichten erzählen, leben wir. Solange uns etwas einfällt, mit und ohne Pointe, Hundegeschichten, Aalgeschichten, Vogelscheuchengeschichten, Rattengeschichten, Hochwassergeschichten, Rezeptgeschichten, Lügengeschichten und Lesebuchgeschichten, solange uns Geschichten noch zu unterhalten vermögen, vermag keine Hölle uns unterhaltsam sein. Du bist dran, Walter! Erzähle, solang Dir Dein Leben lieb ist!» (S. 641). Das Wunder geschieht. Das Feuer zerstört das Lokal bis auf die Grundmauern, doch dem erzählenden Trio Amsel-Goldmäulchen, Matern und Jenny vermag es nichts anzuhaben, ein Sieg der Kunst gegen die Sterblichkeit.

Neben Amsel steht der Tatmensch Matern, aggressiv, mitten im Leben wurzelnd, immer angreifend. Er ist Kommunist und Antikommunist, Nazi und Widerstandskämpfer, Katholik und Ketzer nacheinander und gleichzeitig. Tief im Herzen ist und bleibt er so etwas wie ein

Edelkommunist. Aus der SA, der er auf Amsels Wunsch hin beitritt, wird er wegen Kameradendiebstahls ausgestoßen. Er verliebt sich in die Jungfrau Maria, erkennt jedoch bald, daß der Katholizismus «ganz große Scheiße» sei. Er meldet sich freiwillig zur Wehrmacht, bringt es auch bis zum Feldwebel, wird aber dann wegen «Führerbeleidigung» und «Wehrkraftzersetzung» in ein Strafbataillon gesteckt und läuft 1945 zu den Amerikanern über. Dreimal wird er wegen kommunistischer Propaganda vor ein Ehrengericht gestellt und für schuldig befunden. Nach 1945 beginnt er in Parodie seines eigenen Urhebers einen großangelegten Feldzug aus «Rache, Haß und Wut» gegen ehemalige Nazis und gegen die Gesellschaft im allgemeinen, der er die Schuld an seinem Unglück und seinen andauernden Enttäuschungen zuschiebt. Wutschnaubend, doch wortgewandt zertritt er wahllos alles, was für ihn erreichbar ist. Grass karikiert sich hier selbst, indem er die Rolle des gerechten Richters und Propheten seines Volkes ablehnt, die Schriftsteller wie Heinrich Böll seit Jahren spielen. Der weit über das Ziel schießende Matern zeigt durch seine Handlungen, daß hier ein Bock zum Gärtner gemacht wurde, und in der Diskussions-Verhör-Parodie muß er endlich selbst einsehen, daß er ebenso in Schuld verstrickt ist wie alle die ehemaligen kleinen Nazis, die er als selbsternannter Racheengel heimsuchte. An Matern demonstriert Grass, wie ein im Grunde gutmütiger, ehrlicher Charakter, dem es lediglich an Anpassungsfähigkeit fehlt, immer tiefer in die gegensätzlichen Strömungen der Zeit verwickelt wird, bis er schließlich selbst nicht mehr weiß, welche Rolle ihm eigentlich zukommt, die des Richters oder die des Angeklagten, die des Opfers oder die des Verbrechers.

Natürlich werden solche Probleme bei Grass nicht mit tierischem Ernst, sondern mit dem Ton und der Attitüde eines ausgelassenen Fasnachtsscherzes vorgetragen, hinter dem allerdings die brutale Wirklichkeit jederzeit sichtbar bleibt. Walter Matern und Jochen Sawatzki spielen sich im Jahre 1955 in Düsseldorf eine rührselige Komödie vor, indem sie ihren ehemaligen Langfuhrer SA-Sturm, berüchtigt durch seine radikalen Judenverfolgungen, in eine Art Asyl der inneren Emigration verwandeln, denn alle die alten Kämpfer waren ja insgeheim «dagegen» gewesen. Die innere Emigration, über die sich schon Oskar mockiert, versucht Grass durch solche Manipulationen ins lächerliche Licht zu rücken: Matern ist ein glänzendes Beispiel der unentwirrbaren Verfilzung von Schuld und Unschuld, welcher der moderne Mensch und besonders der in einer Diktatur lebende Mensch anheimfällt. Wir haben also hier auf der Ebene der zynischen Farce das schon von Siegfried Lenz in seinem Hörspiel *Zeit der Schuldlosen* behandelte Problem der Unmöglichkeit, in unserer Zeit die Rolle eines Schuldlosen ungestraft zu Ende zu spielen. Wer noch zweifeln sollte, daß Grass in Matern eigene Probleme, einen Aspekt von sich selbst beschreibt, lese die Kritik, die Matern als Rundfunksprecher erhält: «Dieses Fluidum, dieses barbarisch Ungestalte, diese raubtierhafte Naivität ...» Dies sind natürlich die Prädikate, die Grass selbst für seinen ersten Roman erhielt.

Anni Carlsson vergleicht in «Der Roman als Anschauungsform der Epoche» das seltsame Freundespaar Amsel-Matern mit den Freunden Adrian Leverkühn und Serenus Zeitblom in Thomas Manns *Doktor Faustus:*

So verschieden die Welten an der Saale und an der Weichsel sind, das Schicksalsthema eines musterhaften Freundespaar ist beiden Romanen gemeinsam. Jedes dieser Freundespaare personifiziert das Kontrastwesen der Epoche und tiefer, mythischer die zwei Seelen, die in einer Brust wohnen. Darum sind der Humanist Serenus Zeitblom und der Theologe Adrian Leverkühn, der nach dem ‹Abfall im Glauben› Musiker wird, Kindheitsfreunde; auch der stämmige Müllerssohn, Schauspieler, Antifascist und gleichwohl vom Kainsmal der Zeit gezeichnete Walter Matern und der halbjüdische Kaufmannssohn, Vogelscheuchenbauer, Ballettmeister, Geschichtenerzähler und Hadesregent Eddi Amsel sind, mit Hilfe eines Taschenmessers, ‹Blutsbrüder› seit der Kindheit. Darum ist auch in beiden Freundschaften der Künstler, der Musiker und der Vogelscheuchenbauer, die dominierende Figur; ihm gilt die Liebe und beschützende Sorge des durchschnittlicheren, bei aller Auflehnung gegen die Zeit sozial besser angepaßten Kindheitsgenossen. Diese Liebe hat ihre Konflikte, ihre Widerhaken; aber für Serenus Zeitblom und Walter Matern ist sie die einzige Passion ihres Lebens. Wenn Eddi Amsel, zur Flucht genötigt, aus Walter Materns Gesichtskreis verschwindet, wird dieser Verlust für ihn fast ein Identitätsverlust, bis er Eddi Amsel und damit sich selbst nach dem Kriege wiederfindet. Hier ist eine neue Variante der Geschichte von Don Quijote und Sancho Pansa, von Kain und Abel, von Joseph und seinen Brüdern – aus den Individuen blicken Menschheitsgestalten.

Wie Tonio Kröger und Hans Hansen haben auch die Freunde Amsel und Matern ihr weibliches Gegenpaar, doch bleiben Tulla Pokriefke und Jenny Brunies nicht blaß und undeutlich im Hintergrund wie Manns Figuren, sondern werden scharf profiliert mit eigenem Leben versehen. Tulla hat die Aussicht, eine der eigenwilligsten und interessantesten literarischen Gestalten unseres Jahrhunderts zu werden, wenn sie es nicht schon ist. Es dürfte schwer sein, in der westlichen Literatur eine ähnliche koboldartige Gestalt zu finden, wenn man von Luzie Rennwand, dem bösen Engel der Stäuberbande in der *Blechtrommel*, absieht. Schon in *Katz und Maus* erscheint sie als magerer Balg, der mit den Jungen spielt und diese zum Onanieren verführt. Als eigentliche Verkörperung des bösen Prinzips wird sie in *Hundejahre* ausführlich entwickelt. Dabei ist sie trotz aller Tücke und Ränkesucht kaum eine antipathische Figur. In der klassisch gemeißelten Schlüsselepisode, die Tulla nach dem Tode des von ihr geliebten taubstummen Bruders Konrad als Einsiedlerin der Hundehütte zeigt, ist ihr sogar die volle Sympathie des Lesers gewiß. Ihr permanenter Haß auf alles Edle, Gute, Reine und Schöne will Grass wohl auf Tullas Wissen, daß ihr alle diese Eigenschaften für immer versagt sind, zurückführen. Matern haßt die Welt, die Nazis und Heidegger, weil er dort das Schlechte und Böse sieht, von dem er betrogen und enttäuscht wurde. Tullas Haß läuft in einer anderen Richtung. Sie haßt alle, die besser sind als sie selbst, und das besondere Objekt ihrer inbrünstigen Bosheit ist die kleine Tänzerin Jenny Brunies.

«Tulla Pokriefke wurde am elften Juni neunzehnhundertsiebenundzwanzig geboren», heißt es auf den letzten Seiten der «Frühschichten», des ersten Buches der *Hundejahre.* Diese schlichte Mitteilung ist jedoch für den Manieristen Grass nicht genug. Zweiundzwanzigmal wird sofort darauf wie mit Fanfarenstößen verkündet, was sich alles an dem Tag ereignete, «als Tulla geboren wurde». Die meisten dieser Ankündigungen sind Blindgänger, sie sind irgendeiner Danziger Lokalzeitung des Jahres 1927 entnommen. Dies läßt sich jedoch nicht von allen sagen. Einige von ihnen werfen schon einen ominösen Schatten auf die Zeit, die sechs Jahre später ebenfalls mit Fanfaren angekündigt werden sollte:

> Als Tulla geboren wurde, rief die NSDAP, Gau Danzig, zu einer Großkundgebung auf im Sankt Josephshaus, Töpfergasse fünf bis acht. Über das Thema ‹Deutsche Arbeiter der Faust und der Stirn – vereinigt Euch!› sollte der Parteigenosse Heinz Haake aus Köln am Rhein sprechen ...
>
> Als Tulla geboren wurde, war das Buch *Sein und Zeit* noch nicht erschienen, aber schon ausgedruckt und angekündigt.
>
> Als Tulla geboren wurde, hatte Dr. Citron seine Praxis noch in Langfuhr; später mußte er nach Schweden fliehen (S. 134).

Grass' Schwulststil, wie er sich in diesem dreiundzwanzigmaligen «Als Tulla geboren wurde...» manifestiert, ist deswegen bei aller spielerischen Willkür nicht ganz so willkürlich, wie es auf den ersten Blick erscheinen mag. Es wird hier anscheinend eine Verbindung zwischen dem verschlagenen, heimtückischen Gör und der Zeit der braunen Pöbelherrschaft hergestellt. Ohne Tulla gleich zum Symbol des Nazismus zu machen, sollte man sie doch als symptomatisch für eine ganze Reihe seiner Erscheinungsformen sehen.

Es ist sicherlich kein Zufall, daß der Erzähler Harry Liebenau am Tag vor Führers letztem Geburtstag eine Reihe von Erkenntnissen hat: «Der Krieg ist langweiliger als die Schule ... Löns und Heidegger irren in vielen Dingen.» Im selben Abschnitt heißt es von Harry, er sei zu «neuer Sprache» gekommen, er werde nach dem Krieg ein Buch schreiben: «Keine violette Schwermut fortan. Nie wieder sucht er einen Reim auf den Namen Tulla.» Es versucht also hier jemand, in dem wir Günter Grass vermuten dürfen, sich von seiner Vergangenheit freizumachen, wozu Löns, Heidegger, der Krieg, wozu auch Tulla gehört. Welche wichtige Rolle Tulla im Leben Harrys spielt, kommt in den «Liebesbriefen» in immer neuen Variationen zum Ausdruck. Tulla wird mit dem Geruch des Tischlerleims identifiziert. Schon im ersten «Liebesbrief» schreibt Harry: «Von meinem dritten bis zu meinem siebzehnten Lebensjahr trug ich treu ein Stückchen Tischlerleim in der Hosentasche, so heilig war mir der Leim ... Auch Dein Cousin Harry klebte an Dir: etliche Jahre klebten wir zusammen und rochen übereinstimmend» (S. 143 f.). In seinem siebzehnten Lebensjahr bricht Harry den Einfluß von Tulla, und tatsächlich wird sie fortan nicht mehr erwähnt. Sie ist nicht tot, sie existiert noch, doch spielt sie in seinem Leben keine Rolle mehr.

Der Zigeunerfindling Jenny Brunies ist das weibliche Gegenstück von Eddi Amsel. Jenny ist feinfühlig, rein, keusch und kunstbegabt. Von fragwürdiger Herkunft (wie Amsel), ohne väterlichen Schutz (wie Amsel), dabei gutmütig, verzeihend und hilfsbereit (wie er), eignet sie sich genau wie Amsel vorzüglich zum Opfer kindlicher Foltergelüste. Sie wirkt wie ein Fremdling, ein Besucher dieser Erde, deren Gemeinheiten sie nur durch ihre Kunst, ihren Tanz, entkommen kann. Sie ist der genaue Gegenpol Tullas, ausgestattet mit allen guten Gaben und Talenten, die jener fehlen. Noch im fernen Griechenland, in das sie Grass symbolischerweise versetzt, verfertigt sie mütterlich-liebevoll Sachen für Tullas Baby, das diese schon verloren hat. Anni Carlsson nennt Jenny eine Gestalt aus Andersens Märchenwelt, als magisches Naturwesen zugleich Symbol der Psyche. Noch näher verwandt als mit Andersens Geschöpfen ist Jenny jedoch mit Friedrich de la Motte-Fouqués Undine.

Die beiden Findlinge Jenny und Undine zeichnen sich durch ihre Verbundenheit mit den Elementen aus, Undine mit dem Wasser, Jenny mit dem Eis. Beide sind so sehr fühlende, liebende Menschen, daß sie paradoxerweise schon nicht mehr wie Menschen wirken. Undine verschwendet ihre volle, reiche Seele, die sie eben erst erhalten hat, an den wankelmütigen Huldbrandt, der sich schließlich ratlos und verwirrt von so viel vollkommener Menschlichkeit der falschen Bertolda zuwendet, die ihm gerade durch ihre Fehler verständlicher ist. Das gleiche Dreieck findet sich bei Grass: Jenny wirbt mit demütiger Liebe um Harry, der ihre Zuneigung auch zeitweise erwidert, jedoch von der faszinierend bösen Tulla unwiderstehlich angezogen wird. Während Huldbrandt und Bertolda sowie Harry und Tulla völlig im normalen, gewöhnlichen Leben stehen, spielt das Magische eine Schlüsselrolle im Schicksal von Undine und Jenny. Undine steht unter dem Schutz des Wassergeistes Kühleborn, der ihre ursprüngliche Verwandlung in einen Menschen mit Seele bewerkstelligte und der in gefährlichen Situationen zu ihrer Rettung herbeieilt. Die kleine Jenny dagegen steht unter dem besonderen Schutz einer magischen Kraft, deren Einflußsphäre sich auf Schnee und Eis beschränkt. In einem Schneemann wird der Pummel Jenny in eine kleine Ballerina verwandelt, und in ihrem magischen Kreis ist nicht nur sie selbst, sondern auch Harry Liebenau vor dem Tod des Erfrierens im Eiskeller geschützt. Die Kinder von Brechts Mutter Courage gehen nicht wie die Helden der klassischen Tragödie an einer Charakterschwäche, sondern an einer guten Eigenschaft, einer Charakterstärke zugrunde: Eilif ist zu mutig, Schweizerkas zu ehrlich, Kattrin hat zu viel Gefühl und Liebe für ihre Mitmenschen. Wie Kattrin sind auch Undine und Jenny durch Liebe, Güte und Mitleid ausgesonderte und gezeichnete Opfer der Welt. In ihren Personen siegt die Seele über den Geist, doch im Verkehr mit der Umwelt unterliegt am Ende das Gefühl, die Unschuld, die Reinheit. Undine sucht den Opfertod, um ihrem Geliebten die ewige Seligkeit zu retten. Jennys Schicksal ist viel grausamer, hoffnungsloser, sinnloser. Aus dem leichten Etwas, der schwerelosen Tänzerin, wird ein «welkes Gestell in schlottriger Strickjacke», ein «vergrämtes Ziegengesicht», das Matern als «irgendein abgetakeltes Tingeltangelmädchen» einschätzt. Das eigentliche Opfer der *Hundejahre* ist nicht Matern, bei dem sich Schuld und Sühne die Waage halten, noch Amsel, der als Stehaufmännchen alle Schläge übersteht, sondern Jenny Brunies, die zu gut ist für diese Welt.

Der amerikanische Professor Norris W. Yates beschreibt Tulla und Jenny als zwei parallele, sich ergänzende Charaktere: «Temptress and Scapegoat, Sin and Innocence, whore and virgin, aggressor and victim, destroyer and creator, barbarism and discipline» (*Günter Grass,* S. 36). Tullas grundsätzliche Verworfenheit, die nur ein einziges Mal, nämlich beim Tode ihres Bruders, von etwas anderem übertönt wird, findet an Jennys Makellosigkeit erst richtig die Reibfläche, an der sie sich entzünden kann. Interessant ist die völlig untraditionelle Art und Weise, in der Grass mit diesen beiden Hauptgestalten verfährt. Im ersten Buch der *Hundejahre* werden sie lediglich als «angekommen» erwähnt, im zweiten beherrschen sie das Geschehen, im dritten sind sie völlig verschwunden, wenn wir von Jennys Schatten absehen, der noch einmal auftaucht.

Ein Autor zeichnet seine Gestalten nach literarischen Vorbildern, nach Menschen, denen er begegnete, und vor allem nach sich selbst. (Flaubert: «Emma Bovary, c'est moi.») Die Gestalten von Günter Grass sind nicht zuletzt Günter Grass, eine einzige große, groteskkomische Konfession. Thomas Mann erfand für die beiden Seelen in seiner Brust den nüchternen Hans Hansen und den verträumten Tonio Kröger. Max Frisch ersann den romantechnischen Kunstgriff der verschiedenen Rollen, die er seinen Gantenbein (oder wie er jeweils heißt) immer mit ähnlichem Ausgangspunkt spielen läßt: Was würde ich, Max Frisch, unter diesen und jenen Umständen tun? In dem bunten Reigen der voneinander so verschiedenen Figuren, mit denen Grass seine Welt bevölkert, lassen sich unschwer immer wieder Züge des Schöpfers erkennen. Nicht zufällig sind Tulla Pokriefke, Jenny Brunies und Harry Liebenau im Jahre 1927 geboren, das auch das Geburtsjahr von Grass ist. Harry wird als «Vielwisser» bezeichnet, der Bücher mit historischem und philosophischem Inhalt durcheinander liest. Er wird außerdem ein Melancholiker, ein empfindsamer Junge genannt, ein Phantast, der viel lügt, ein Nichttäter, der seinen Vater in Gedichten ermordet, ein Vorsichtiger, der nicht an Gott, aber an das Nichts glaubt, ein Neugieriger, in dessen grauen, aber «nicht kaltgrauen Augen» sich alles widerspiegelt. Wenn wir Grass in seinen Gestalten suchen, finden wir in Harry Liebenau den auf allen Gebieten belesenen Intellektuellen Grass, den reflektierenden, analysierenden Beobachter, den Seismographen, der das Geschehen registriert. Harry Liebenau ist der Erzähler eines guten Drittels des langen Romans – mit 290 Seiten schreibt er mehr als Matern oder Amsel –, doch ist er am wirklichen Geschehen nur indirekt beteiligt. Er ist überall anwesend, doch eben nur als Berichterstatter; es ist kennzeichnend für ihn, daß er jahrelang den Mädchen Tulla und Jenny nachstellt, ohne je irgendwelche Initiative zu ergreifen.

Der Linkshänder Harry Liebenau wird von Walter Matern sarkastisch beschrieben:

> Dieser Scheißer mit seinem Schubkästchengedächtnis. Ordnet, wo er geht steht sitzt, engbeschriebene Zettelchen. Kein Thema, zu dem ihm nicht Fakten einfallen: Proust und Henry Miller; Dylan Thomas und Karl Kraus; Adornozitate und Auflageziffern; Detailsammler und Bezügesucher; Abstandnehmer und Kernbloßleger; Archivschnüffler und Milieukenner; weiß, wer links steht, und wer rechts geschrieben hat; schreibt eigenhändig kurzatmig über die Schwierigkeiten beim Schreiben; Rückblender und Zeitaufheber; Infragesteller und Klugscheißer; aber kein Schriftstellerkongreß ohne sein Formuliertalent Nachholbedürfnis Erinnerungsvermögen (S. 568).

Wir lernen hier eine Menge über Harry, aber wir lernen noch mehr über den Linkshänder Grass selbst. Schon in seinem ersten Roman hat Grass eine besondere Schwäche für Details gezeigt, und seine Details stimmen immer. Fast alle Autoren längerer epischer Werke machen sich kleiner Vergehen schuldig, ohne daß man sie deswegen tadelt. (Plievier etwa läßt Napoleon mit 450 000 anstatt mit 45 000 Soldaten nach Rußland ziehen, und unbekümmert erklärt er die Nibelungen zu einem germanischen Volksstamm.) Bei dem Archivschnüffler und Milieukenner Grass stimmen alle Details, ob er nun über Weizensorten, Handballspiel, das Bergwerk, das klassische Ballett oder über andere Fachgebiete schreibt, die alle ein bestimmtes Fachwissen und ein besonderes Fachvokabular voraussetzen. Was Matern hier über Harry Liebenau sagt, können wir mit gutem Gewissen auch als Aussage über den Kernbloßleger Grass werten; besonders der letzte Satz des Zitats weist weit über Harry Liebenaus Radius hinaus.

IV

Form und Sprache

Dreigliedrigkeit liebt Grass nicht nur in Anlehnung an antike Rhetorik im kurzen, schlagkräftigen Ausdruck («Ich soll, ich muß, ich will» *Blechtrommel,* S. 508), sondern auch als Aufbauprinzip seiner Romane. *Die Blechtrommel* ist in drei Bücher eingeteilt. Das erste Buch spiegelt Oskars Jugend in der Freien Stadt Danzig; das zweite zeigt ihn in Danzig unter Nazi- und Sowjetherrschaft; das dritte Buch erzählt von Oskars Erlebnissen in Westdeutschland. Die Dreiteilung von *Hundejahre* in «Frühschichten», «Liebesbriefe» und «Materniaden» ist nach ähnlichen Gesichtspunkten vorgenommen. In «Frühschichten» berichtet Amsel von der glücklichen Jugend der Helden in der Weichselniederung; Harry Liebenau schreibt in den «Liebesbriefen» an seine Cousine Tulla über das Schicksal dieser Helden vom Aufkommen des Nationalsozialismus bis zur Übernahme Danzigs und Berlins durch die Russen; in den «Materniaden» beschreibt Walter Matern die Geschicke der wurzellosen Heimatvertriebenen in der Bundesrepublik. Die parodistischen Tendenzen des Autors zeigen sich schon in den Überschriften. Bei den «Frühschichten» denken wir an Aristoteles oder an Rothacker. Bei den «Liebesbriefen», die alles andere als Liebesbriefe sind, macht sich Grass über die lange Tradition des empfindsamen, sentimentalen Briefromans von Richardson über Rousseau bis zur Gegenwart lustig. In den «Materniaden» finden sich Anklänge an die biblischen Jeremiaden, an Homers Iliade, an die Münchhausiaden, an Mörikes Wispeliaden, an Buschs Jobsiaden. Im übrigen sollte man diese Einteilungen als das nehmen, was sie sind und als was sie von Grass bezeichnet werden: ein formaler Spazierstock oder eine behelfsmäßige Krücke, womit der Masse des episodenhaften Materials nachträglich eine gewisse Stütze und Form verliehen wird.

Grass bietet sich dem unvoreingenommenen Leser auf den ersten Blick als urwüchsiges Erzähltalent dar, dem der Stoff mühelos aus der Feder fließt. Oft kann man sich des Eindrucks nicht erwehren, daß Grass überquillt, daß er von Geschichten, Episoden und sprühenden Einfällen geradezu überläuft. Harry Liebenau äußert sich in diesem Sinne für Grass: «... meine Aktienteichgeschichten – ich bin voll damit und muß mich zurückhalten ...» (*Hundejahre*, S. 313). Für solch einen Naturburschen, einen Kraftmeier des Fabulierens, wie man Grass schon genannt hat, ist die Beschränkung, die maßvolle Form, das eigentliche zentrale Problem. Grass hat sich wiederholt zum Ideal der strengen Form bekannt, wie um sich selbst zur Ordnung zu rufen. In der kleinen Studie *Die Ballerina* wird ihm die Tänzerin des klassischen, formstrengen Balletts zum Modell, zum Vergleich und zur Muse für seine eigene Kunst. Grass schreibt: «Die Ballerina lebt, einer Nonne gleich, allen Verführungen ausgesetzt, im Zustand strengster Askese. Dieser Vergleich darf deshalb nicht überraschen, da alle auf uns gekommene Kunst stets Ergebnis konsequenter Beschränkung und nie genialischer Maßlosigkeit war» (*Die Ballerina*, S. 9). Als Feind und «todernstes Gegenteil» der Ballerina nennt Grass die barfuß und mit aufgelöstem Haar tanzende Ausdruckstänzerin, und er bezeichnet es als unerträglich für das feine Auge, «natürlich, das heißt ohne jeden Anstand, geschwätzig und maßlos wie die Vegetation eines Urwaldes oder auch Treibhauses über die Bühne zu hüpfen» (ibid., S. 13). Es besteht wohl kaum ein Zweifel, daß Grass hier von den Gefahren spricht, die seinem eigenen künstlerischen Schaffen drohen: Formlosigkeit durch Maßlosigkeit.

Die beiden Romane *Die Blechtrommel* und *Hundejahre* sind Konglomerate von wild wuchernden Einfällen und originellen, spannenden Episoden, Urwald oder fast Urwald also, um Grass' Metapher zu gebrauchen. In der *Blechtrommel* wird dieser schier unübersichtliche Reichtum an kleinen und großen Perlen mühsam auf eine Kette gereiht durch den Blechtrommler selbst, der zwar die zentrale Gestalt ist, in vielen Episoden jedoch nur die Rolle des passiven, des unbeteiligten Beobachters spielt. *Hundejahre* wiederum ist eine Serie von Kurzgeschichten, die allerdings weitverzweigt, beziehungsreich und kunstvoll miteinander verknüpft sind. Über die Askese seiner Ballerina vor dem Spiegel sagt Grass: «Auch wenn zeitweise Ausbrüche ins Unerlaubte zu Denken gaben und geben, der Kunst sei alles erlaubt, erfand sich immer, und gerade der beweglichste Geist, Regeln, Zäune, verbotene Zimmer. So ist auch der Raum unserer Ballerina beschränkt, übersehbar und erlaubt Veränderungen nur innerhalb der zur Verfügung stehenden Grundfläche» (ibid., S. 9). Wenn wir diese Sätze als künstlerisches Bekenntnis zur strengen Form interpretieren und sie diesmal mit der Novelle *Katz und Maus* in Verbindung setzen, können wir Grass ohne weiteres die geglückte

Umsetzung seines Programms auf das fertige Kunstwerk bescheinigen. Grass hat hier eine formstrenge, um nicht zu sagen klassische Novelle geschaffen, der nicht einmal der Falke, also das zentrale Leitmotiv in Form von Mahlkes Adamsapfel fehlt. Im gleichen Maße wäre es jedoch unsinnig, von Formstrenge im Hinblick auf *Hundejahre* zu sprechen. Der Raum dieses Werkes ist weder beschränkt noch übersehbar, und Grass erlaubt sich so ziemlich alles in diesem synthetischen, atektonischen Monstrum von einem Roman.

Es wäre nun natürlich verfehlt zu behaupten, Grass hätte mit seinem Kunstwerk versagt, weil er seine eigene Kunsttheorie nicht befolgt hat. Schon Brecht schuf mit der *Mutter Courage* seinen eigenen Theatertheorien entgegen ein gültiges Kunstwerk, vielleicht sein bedeutendstes. Grass ist einerseits zur Form des traditionellen Romans zurückgekehrt, indem er die Ereignisse in mehr oder weniger chronologischer Folge abrollen läßt. Dabei verliert er sich nicht in der Beschreibung von Seelenzuständen, sondern konzentriert sich auf Handlung in Episodenform. Während er sich einerseits mit übergroßer Genauigkeit an realistische Details und gegebene historische Fakten hält, gewährt er andererseits dem Phantastischen, dem Aberglauben, dem Mythos Eingang in sein Werk. Ist es da überhaupt berechtigt, von dem Produkt als einem Roman zu sprechen? Der Roman als Gattungsbegriff hat in den letzten vierzig Jahren so viele revolutionäre Erneuerungen und Wandlungen erleiden müssen, daß man ihn heute kaum anders als längeres episches Werk in Prosa definieren kann. Grass' Form des Romans ist in einem gewissen Sinn und bis zu einem gewissen Grad die Formlosigkeit. Er bringt so ziemlich alles, was ihm in den Sinn kommt (und ihm kommt viel in den Sinn), in seinen Romanen unter: sogar Pläne für künftige Werke und zwei Mini-Hörspiele finden dort einen Platz. Anstatt also voreilig von einem Tragelaph zu sprechen, sollte man überlegen, ob Grass nicht mit seiner relativen Formlosigkeit und Uferlosigkeit das richtige, weil entsprechende Bett für seinen unablässig fließenden Erzählstrom gefunden hat. Vor allem aber hat Grass die entsprechende sprachliche Form für diesen Strom gefunden, nämlich die dynamische, variantenreiche, die Grass'sche Sprache.

Günter Grass ist in weitem Maße ein übermoralischer, ein jenseits von Gut und Böse stehender Schriftsteller, der sich bewußt von traditionellen, subjektiven Werturteilen abwendet. Dies sollten vor allem die Leser berücksichtigen, die sich von Grass aus religiösen, moralischen, weltanschaulichen oder bloß geschmacklichen Gründen abgestoßen, vor den Kopf gestoßen fühlen. Es ist bezeichnend, daß bisher kein einziger wirklicher Kritiker Grass eine ungewöhnliche Kraft der Formulierung abgesprochen hat. Die Kritik, und gerade die schärfste Kritik, geht im Falle Grass mit erstaunlicher Regelmäßigkeit von anderen, von nicht-literarischen Kriterien aus. Selbst ein sonst unbestechlicher Kritiker wie Günter Blöcker, der *Die Blechtrommel* voller Entrüstung ablehnt, gibt als Grund für sein verdammendes Urteil das Grass'sche «Schwelgen im Anstößigen», während er dem so Verworfenen ein «allzeit parates Formulierungstalent» bescheinigt. Gerade diesem Formulierungstalent sollte man sich aber doch zuwenden, wenn man Grass einigermaßen gerecht werden will. Von der Sprache her läßt sich vieles bei Grass klären und erklären, sogar das Anstößige. Selbst Grass' Angriffe auf Religion, Tradition und Ideologien aller Färbungen bestehen nicht aus logisch vorgebrachten, theoretischen Auseinandersetzungen, sondern eher aus den verschiedensten Manipulationen sprachlicher Mittel. Heidegger zum Beispiel wird nicht auf philosophischer Ebene, sondern durch stilistische Parodien angegriffen oder besser lächerlich gemacht. Halbgare Kartoffeln werden «seinsvergessene Bulwen» genannt, und Ratten heißen «im Grunde Gründende». Heidegger selbst wird nur einige Male namentlich genannt; im übrigen belegt ihn Grass mit metonymischen Umbenennungen wie «Vorsokratiker» oder «allemannische Zipfelmütze». In der religiösen Sphäre gibt es nur wenige, übrigens schlecht motivierte Ausbrüche gegen das Christentum; der Hauptangriff wird wiederum auf dem Wege der Form vorgetragen, auf dem Wege der sprachlichen Nivellierung zum Beispiel. In *Hundejahre* spricht Grass in einem Atem von «Schweinen, Jesus Christus, Marx und Engels» (S. 357).

Grundsätzlich läßt Grass seine Prosawerke von vorgeschobenen Erzählern vortragen, deren charakteristische Eigenarten er zu effektvollen Spiegelungen und Variationen des Geschehens ausnutzt. Der Blechtrommler Oskar erzählt seine Geschichte aus der reizvollen Perspektive des Zwerges. *Hundejahre* wird von einem Autorenkollektiv vorgetragen, das aus den drei im Vordergrund des Geschehens stehenden männlichen Gestalten besteht. Dem dritten Mitglied des Kollektivs, Harry Liebenau nämlich, fällt allerdings im Vergleich mit Eddi Amsel und Walter Matern mehr die Rolle des Beobachters zu, der zwar überall dabei ist, jedoch meistens in der passiven Rolle des Berichterstatters. *Katz und Maus* wird wie Thomas Manns *Doktor Faustus* von einem Freund des im Mittelpunkt stehenden Helden des Geschehens erzählt. Wie bei Kafka berichten die jeweiligen Erzähler nur Erlebnisse, deren Zeuge sie selbst waren. Zu diesem Zweck hetzt Grass den Schreiber der «Liebesbriefe» in *Hundejahre* auf der einen Seite des Erbsberges hinauf und auf der anderen hinunter, denn Harry ist der einzige Zeuge der auf beiden Seiten des Berges stattfindenden «Schneewunder». Dieser atemlos hinauf-hinunterjagende Erzähler trägt seinerseits zur bizarren Groteskheit der geschilderten Ereignisse bei. Im übrigen zwängt Grass seine Erzähler in keine unnatürlichen Zwangsjacken, sondern läßt sie gelegentlich unbekümmert von Dingen berichten, die sie normalerweise nicht wissen dürften. Harry Liebenau zum Beispiel berichtet von Haseloffs Ballettstunde in Berlin, als stünde er zur Zeit des Schreibens selbst im Ballettsaal. Er fügt dann allerdings erklärend hinzu, er wisse das alles aus Jennys Briefen. Und nirgends macht sich Grass die Mühe, für einen neuen Erzähler eine neue Spracheigentümlichkeit zu finden. Wer für Grass schreibt, benutzt den Grass'schen Stil.

Typisch für diesen Stil ist der ständige Wechsel von Zeitform und Erzählhaltung. Das epische Präteritum, vom Berichterstatter in der ersten Person benutzt, ist die erzählerische Ausgangsposition der Prosawerke. Grass nimmt sich auch hier jede nur erdenkbare Freiheit. Nicht nur innerhalb eines bestimmten Abschnittes, sondern sogar innerhalb eines einzelnen Satzes wechselt er von der ersten Person zur dritten hin und her, und dazwischen spricht er unter Umständen noch den Leser in Form der zweiten Person vertrauensvoll an:

> Und als sie mir die Fäuste vor dem zweiten Schlag abfing, biß ich mich fest an derselben verdammten Stelle, und fiel, immer noch in Maria verbissen, mit ihr auf die Chaiselongue, hörte zwar, wie die im Radio eine weitere Sondermeldung ankündigten, doch das wollte Oskar nicht hören; und so verschweigt er Ihnen, wer was und wieviel versenkte, denn ein heftiger Weinkrampf lockerte mir die Zähne, und ich lag bewegungslos auf Maria, die vor Schmerz weinte, während Oskar aus Haß weinte und aus Liebe, die sich in bleierne Ohnmacht verwandelte und dennoch nicht aufhören konnte (*Blechtrommel*, S. 357).

Der jeweils vorgeschobene Erzähler, der vergangenes Geschehen vorträgt, ist in der Gegenwart zuhause, die durch genau fixiertes Milieu und zusätzliche Gestalten lebendige Wirklichkeit erhält. Das Erzählen des Vergangenen wird von Zeit zu Zeit durch Beschreibung des Gegenwärtigen abgelöst, was den Wechsel vom Imperfekt zum Präsens bedingt. Alle diese Änderungen und Schwankungen vermehren das Element der Labilität und Ungesichertheit, das über dem Ganzen liegt. Der Erzähler befindet sich nicht geschützt und unsichtbar wie im Roman des neunzehnten Jahrhunderts in einem Elfenbeinturm, von dem aus das Geschehen überhöht und souverän distanziert gesehen werden kann. Er steht mitten im Leben, und er leidet an den Folgen wie am Erzählen des Vergangenen, ob er nun Oskar Matzerath, Pilenz, Eddi Amsel, Harry Liebenau oder Walter Matern heißt. Diese direkte Beziehung zwischen Erzähler und Erzähltem bedeutet jedoch nicht, daß distanzlos, emotionell berichtet wird. Eine Distanz zum Geschehen wird grundsätzlich und sorgfältig gewahrt, doch liegt diese Distanz wiederum auf sprachlicher Ebene.

Grass' Stil ist vital, kraftstrotzend, ungebändigt. Man hat den Eindruck, der Autor quelle über an mutwilligen, nie gehörten Formulierungen. Grundlage ist die deutsche Umgangssprache der dreißiger und vierziger Jahre, versetzt mit Danziger und westdeutschen Dialektbrocken. Leiden und Freuden seiner Gestalten, verzweifelte, erschütternde Situationen werden ebenso wie die urkomischsten Begebnisse im kaltschnäuzigen und schnoddrigen Ton erzählt. Dies hindert jedoch keinesfalls den Leser, das jeweilige Ereignis in seinem wahren Charakter zu erfassen. Die tragische Seite, die ihm nicht mit wehleidigen Worten aufgezwungen wird, kommt ihm trotz der scheinbar unangebrachten Sprache immer wieder zum Bewußtsein. Auch ein anspruchsvoller, kritischer und hartgesottener Leser wird sich des Jammers der ausgewiesenen Flüchtlinge nicht verschließen können, der im Abschnitt «Wachstum im Güterwagen» (*Blechtrommel,* S. 520–533) mit den gleichen sprachlichen Mitteln Ausdruck findet, die man für lustige Anekdoten benutzen würde. Die Distanz zwischen Erzähler und Erzähltem ist in dieser Episode doppelt groß, denn der vorgeschobene Oskar verbirgt sich hier noch einmal hinter dem Pfleger Bruno, der ohne sonderliches Interesse und in unbeteiligtem Ton wiederholt, was ihm Oskar von der Ausweisung erzählt hat. Eine Situation wie diese, die einen anderen, weniger begabten Schreiber leicht zu einer pathetischen oder melodramatischen Sprache verführt hätte, läßt Grass, ähnlich wie Brecht, doppelt und dreifach auf der Wacht gegen die Beherrschung der Form durch das Gefühl sein.

Die Distanz, die der Dichter durch die Sprache zwischen dem Geschilderten und sich selbst wahrt, findet ihren Niederschlag in immer neuen Variationen. Romantisches Vokabular, rührselige Stimmungsbilder und Naturbeschreibungen sind verbannt aus seinem Werk. Wenn er von einem Sonnenuntergang spricht, sagt Grass «die absackende Sonne», und von den Krähen heißt es, daß sie «ungeölt knarrten». Wenn Grass schon von der Natur spricht – was sich in einem Roman von siebenhundert Seiten schwer vermeiden läßt –, dann tut er es auf völlig unsentimentale, nüchterne Art. Ansätze von romantisierenden Landschaftsbeschreibungen werden sofort «verfremdet». Oskar sagt über die Normandie: «Braunweiße Kühe gaben dem Land das Aussehen einer Milchschokoladenreklame» (*Blechtrommel*, S. 672). In *Hundejahre* heißt es: «Mondschein, extra für ihn. Er zählte die Türme. Keiner fehlte. Alle wuchsen ihm entgegen. Welch ein Ausschneidebogen!» (S. 409). Über Stiftersche Naturschilderungen macht sich Grass lustig, indem er seine eigene Unfähigkeit in dieser Richtung eingesteht:

> Mager, mager! Brauxel, der hier die Feder führt, leidet unter der Unfähigkeit, menschenleere Landschaften beschreiben zu können. Es mangelt ihm nicht an Ansätzen; aber sobald er einen leichtgewellten Hügel, also das satte Grün und die vielen Stifterschen Abstufungen der Hügel dahinter, bis zum fernen Graublau unterm Horizont hintuscht, alsdann die unvermeidlichen Feldsteine der Gegend um Meisterswalde, wie dazumal der Teufel, in den noch ungestalten Vordergrund streut, auch den Vordergrund festigende Büsche setzt, also sagt: Wacholderbusch, Haselnuß, Ginster blankgrün, Kusseln, Gebüsch, kugelig, kegelig, kusselig den Hügel hinab, den Hügel hinauf: dürrer Busch, Dornenbusch, Busch im Wind, Flüsterbusch – denn in dieser Gegend windet es immer – juckt es ihn schon, in Stifters Einöde Leben zu pusten (*Hundejahre*, S. 113).

In dem Aufsatz «Der Inhalt als Widerstand» läßt Günter Grass den Poeten Krudewil zu dem Poeten Pempelfort über die Gefahren des Schreibens und über ihre Überwindung sprechen.

> Krudewil: ... Hunde die träumen beißen nicht. – *(Er entnimmt seinem Handkoffer zwei große Knäuel graue Wolle und Stricknadeln.)* Hier, zwei glatt, zwei kraus. Wir wollen jetzt nicht mehr von Träumen reden. Wir wollen uns eine neue Muse stricken. *(Beide stricken.)*
>
> Pempelfort: Wie soll sie denn beschaffen sein?
>
> Krudewil: Grau, mißtrauisch, ohne jede botanische –, Himmels- und Todeskenntnisse, fleißig, doch wortarm in der Erotik und vollkommen traumlos. – Du weißt wie ich es mache. – Bevor ich ein Gedicht schreibe, schalte ich dreimal das Licht an und aus. Damit sind alle Wunder entkräftigt. – Du hast eine Masche fallen lassen. Sei vorsichtig Pempelfort. Unsere neue Muse ist eine akurate [sic!] Hausfrau. Ein fehlerhaftes Oberteil würde

ihr mißfallen. Sie gäbe uns erbarmungslos den Abschied, ließe sich aufribbeln und von einer Maschine aufs neue stricken (*Akzente*, Juni 1957, S. 229).

Der Grass'sche Stil ist sehr oft voller Verschnörkelungen, Wiederholungen, barocker Arabesken. Er enthält eine Fülle witziger Bonmots auf fast jeder einzelnen Seite. Besonders häufig kommt das Wortspiel vor, der Kalauer, einer der Gründe, warum Grass so schwer zu übersetzen ist. Weniger in der *Blechtrommel*, dafür um so mehr in *Katz und Maus* und *Hundejahre* verfällt der Autor in den Telegrammstil, sogar ins Wortgestammel. Dieses sinkt jedoch nie in dadaistische Zusammenhanglosigkeit ab, sondern spinnt immer den Faden der Erzählung weiter. Zur Manie wird bei Grass der Gebrauch der Ellipse, besonders als Aposiopese, als Auslassung des wichtigsten Satzteiles, den der Leser jedoch aus dem Zusammenhang erraten kann:

Hatte auch – und einmal, als hier – und wenn er zum Beispiel – aber das Dollste an ihm war, als ich den ganzen frischeingetrudelten Verein zum Entlausen nach Tuchel schleuste, weil ich als Kammerbulle. Als nun alle unter der Brause, denk ich, ich guck nich recht, guck also nochmal, sag mir, werd bloß nicht neidisch: dem sein Schwanz, ein Riemen, kann ich Euch [sic!] flüstern, wenn der auf Touren, stand der gut und gerne seine oder noch mehr, jedenfalls hat er mit dem Apparat die Frau vom Oberfeldmeister, ne rüstige Vierzigerin, von vorn und hinten, weil ihn der Idiot von Oberfeldmeister – wurde später nach Frankreich versetzt, war ein Spinner – zum Kaninchenstallbauen in sein Haus, das zweite von links in der Arbeitsdienstführersiedlung (*Katz und Maus*, S. 139).

Das Adjektiv wird von Grass bevorzugt als beabsichtigte Katachrese mit verfremdender, antiromantischer Absicht gebraucht, oft erst eigens zu diesem Zweck gemünzt. «Kartoffelsackförmige Wolken», «kartoffelkeimbleiche Kerzen», «engerlingbleiche Nonnen», das sind Formulierungen, die das Grass'sche Siegel tragen. Als frappierendes Epitheton wird das Adjektiv häufig parodierend mit komischen Effekt vom Substantiv abgeleitet. Grass spricht von einem «gewendeltreppten Patrizierhaus», von «götterdämmerigen Stiefelbeinen» und von «knochenmorschen Marschierern». Der Gebrauch des Substantivs als Adjektiv ist ein eigenwillig-typischer Zug des Grass'schen Stils, und das Paradestück dieses Ticks liefert uns der Romancier in höchst origineller asyndetischer Reihung in *Hundejahre:* «Aber er [Amsel] skizzierte Beobachtungen auf billigem Papier und baute zigarrenkistenhohe Modelle: Ringende Figurengruppen, ein Kuddelmuddel, ein formloses Geraufe, kurzbehost kniebestrumpft schulterberiemt braunbefetzt wimpelverrückt runenbenäht koppelverrutscht führergeimpft pimpfenmager heisergesiegt naturgetreu, wie unser Jungzug es in Amsels Garten beim Kampf um den Wimpel getrieben hatte» (S. 224 f.).

In der Grass'schen Mischung von Verbalstil und Nominalstil spielt das Adjektiv im übrigen eine untergeordnete Rolle. Im Verb und im Substantiv dagegen entdeckt der Autor ungeahnte spielerische Variationsmöglichkeiten. Häufig erprobt Grass die Substantivierung des Verbs, hier zum Zwecke des sarkastischen Ausfalls gegen bürgerliches Milieu: «Diese Zierdeckchen, wappenbestickten Kissen, in Sofaecken lauernden Käthe-Kruse-Puppen, Stofftiere, wohin man auch trat, Porzellan, das nach einem Elefanten verlangte, Reiseandenken in jeder Blickrichtung, angefangenes Gehäkeltes, Gestricktes, Besticktes, Geflochtenes, Geknotetes, Geklöppeltes und mit Mausezähnchen Umrandetes» (*Blechtrommel*, S. 102).

In einer Diskussion mit Berliner Studenten (10. 12. 1963) erklärte Grass:

> Ich gehe erst mal davon aus, daß die deutsche Sprache, verglichen z. B. mit dem Französischen, sehr weich ist und Einflüssen unterworfen ist, nicht immer den besten Einflüssen. Das Deutsch z. B., das heute gesprochen wird, ist sehr stark vom Wirtschaftsdeutsch geprägt, vom Amtsdeutsch geprägt, im Gedanklichen von Heidegger geprägt. Die Substantivierung nimmt immer größere Ausmaße an, und mit diesem Material muß ich als Schriftsteller arbeiten. Es ist also nicht nur mit dem Konjunktiv getan, und es ist auch nicht eine Sache der Kommata, sondern es gibt zum Beispiel Sätze, in denen das Verbum weggelassen wird. Die Satzaussage fehlt, weil ich dem Leser bei einem angefangenen Satz dann und wann überlassen kann, die Satzaussage selber auszufüllen, weil sie auf der Hand liegt. Und vielleicht habe ich nebenbei den kleinen Ehrgeiz, die deutsche Sprache etwas zu verkürzen. Sie ist furchtbar umständlich. Ich glaube, daß innerhalb der deutschen Satzstellung sich einiges – ohne jetzt als Sprachenreformer vordergründig auftreten zu wollen – von dem, was ich sagen und beschreiben will, zur Satzverkürzung anbietet, ein Reduzieren also der Sprache auf die Dinglichkeit hin (Grunert [Hrsg.], *Wie stehen Sie dazu?* S. 77).

Das unmittelbare Nebeneinander von Disparatem, auf dem zum Teil das Groteske im Grass'schen Werk beruht, manifestiert sich auf sprachlicher Ebene zum komischen Effekt und zur Vermeidung von Pathos. Als der entrüstete SA-Mann Walter Matern seinem Freund und Blutsbruder Amsel zweiunddreißig Zähne einschlägt, stellt dieser der vermummten Gestalt die Frage: «Bist du es? Tsib ud se?» (*Hun-*

dejahre, S. 255). Schon die Frage ist Parodie der Bibel, doch wird sie noch ein zweites Mal entfremdet durch Umkehrung der normalen Buchstabenreihenfolge nach Art des früheren Brauchs der beiden Freunde. Grass beabsichtigt hier nicht den verharmlosenden, abschwächenden Eindruck der Tapeinosis, sondern eher dessen Gegenteil. Durch Hinzufügen des komischen Details wird der tragische Grundton des Geschehens vertieft und zugleich gegen Pathos geschützt. Ein anderes Beispiel des gleichen Phänomens der Durchdringung von Tragik durch die Sprache der Komik: «Zwei Wochen lag er [Matern] im Marien-Hospital zu Düsseldorf, weil man ihm im Keller des Polizeipräsidiums einige Rippen angeknackst hatte. Lange mußte er einen Verband tragen und durfte nicht lachen, was ihm nicht schwer fiel. Zähne wurden ihm keine ausgeschlagen» (*Hundejahre,* S. 293). Mit der Sprache des ganz großen Ulks wird beschrieben, wie Menschen mit Polizeiknüppeln zusammengeschlagen werden:

Die neuen Knüppel hatten den alten voraus, daß sie keine Platzwunden schlugen, sondern trocken wirkten, beinahe lautlos. Jeder Betroffene drehte sich nach einem Schlag mit dem neuen Schutzpolizeiknüppel zweieinhalbmal deutlich erstaunt um die eigene Achse und ging dann, aber immer noch in Korkenziehertechnik, zu Boden. Auch August Prokriefke gehorchte nahe der Toilettentür dem aus Mussolinis Italien importierten Artikel. Ohne Platzwunden war er acht Tage lang arbeitsunfähig (*Hundejahre,* S. 233 f.).

Das erzählerische Werk Grass' ist voller Imitation und Parodie, vom kurzen Wortspiel bis zur seitenlangen Heidegger-Parodie. Oskar sagt: «Da beschloß ich, auf keinen Fall Politiker zu werden» (*Blechtrommel,* S. 66). Er fragt: «Sucht er das Land der Polen auch mit seiner Seele?» (ibid., S. 125). Grass macht sich lustig über den «so beliebten Ostwind, der sich, laut Text, besser als alle anderen Winde fürs Entfalten von Fahnen eignete» (ibid., S. 139). Er imitiert den amtlichen Wetterbericht: «... wo das Taxi bei heiterem bis wolkigem Wetter wartete» (ibid., S. 162). Das Volkslied wird parodiert: «... man kann ... in ihnen ... jene zwei Königskinder sehen, die angeblich nicht zusammenkamen, weil das Wasser zu tief war» (ibid., S. 192). Die Hühner des Küsters picken auf dem Friedhof, «nicht säend und dennoch erntend» (ibid., S. 197). Der Unteroffizier Truczinski fällt «für drei Dinge gleichzeitig: Führer, Volk und Vaterland» (ibid., S. 437). Gewagt sind die biblischen Parodien: Der Diskussionsleiter beginnt die greulich-groteske Diskussionsfarce in *Hundejahre* folgendermaßen: «Diskutanten! Junge Freunde! Das Wort ist wieder Fleisch geworden und hat in unserer Mitte Wohnung genommen» (S. 573). Noch gewagter, blasphemischer heißt es in der *Blechtrommel:*

> Schon wollte ich ohne Dank und hastig wie zehn Teufel die Stufen runter und raus aus dem Katholizismus, da berührte eine angenehme, wenn auch befehlerische Stimme meine Schulter: ‹Liebst du mich, Oskar?› Ohne mich zu drehen, antwortete ich: ‹Nicht daß ich wüßte.› Er darauf mit derselben Stimme, ohne jede Steigerung: ‹Liebst du mich, Oskar?› Unwirsch gab ich zurück: ‹Bedaure, nicht die Spur.› Da ödete er mich zum drittenmal an: ‹Oskar, liebst du mich?› Jesus bekam mein Gesicht zu sehen: ‹Ich hasse dich, Bürschchen, dich und deinen ganzen Klimbim!›
>
> Merkwürdigerweise verhalf ihm mein Anwurf zu stimmlichem Triumph. Den Zeigefinger hob er wie eine Volksschullehrerin und gab mir den Auftrag: ‹Du bist Oskar, der Fels, und auf diesem Fels will ich meine Kirche bauen. Folge mir nach!›

Die biblische Parodie verwendet Grass mit besonderer Vorliebe, und Oskar spricht als Chef der Stäuberbande fast nur noch in der Sprache Jesus'. Daneben vergißt Grass die Klassiker nicht: «Heiraten oder Nichtheiraten, das ist hier die Frage» (*Blechtrommel,* S. 570). In *Hundejahre* tauchen zahllose parodistische Zusammenschreibungen auf: «Wenndunichtdann», «Mitstumpfundstiel», «Wirliebendiestürme». Den Nazijargon macht Grass ridikül mit Ausdrücken wie «tausendundabertausend Arbeitsdienstspatenblätter» und «sturmriemenumspannte Schweinsblasen», Nazilieder mit Sätzen wie «Jetzt klappt funktioniert marschiert es ruhig fest bewußt voran» (*Hundejahre,* S. 251). Die Hitlerparodie in *Hundejahre* wird mit spärlichen, doch sicheren, kennzeichnenden Wortfetzen vorgetragen:

> Auf jedem Er drauf mit tiefgedrückter Schirmmütze: ernst starr Führerblick: Ab heute früh vier Uhr fünfundvierzig. Vorsehung hat mich. Als ich damals, da beschloß ich. Zahllose. Schimpflich. Erbärmlich. Nötigenfalls. Darüber hinaus. Am Ende. Bleibt, wird wieder, niemals. Bildet eine verschworene. In dieser Stunde blickt. Wird sich die Wende. Rufe Euch auf. Werden wir antreten. Ich habe. Ich werde. Ich bin mir. Ich ... (S. 442 f.).

Grass ist ein Virtuose, ein Meisterjongleur der Parodie. Am überzeugendsten, am prägnantesten ist er, wenn er mit Sprachskeletten arbeitet, die er von allem nebensächlichen Ballast gesäubert hat. Während seine Heidegger-Parodien zu lang ausgewalzt sind und auch zu oft wiederkehren, um auf die Dauer zu bestechen, verfehlt das eingesprenkelte parodierende Schlagwort fast nie seine Wirkung. Dabei arbeitet Grass nur selten mit Abwandlungen des parodierten

Materials. Nicht Addition, sondern Subtraktion betreibt er, um den komischen Effekt zu erzielen. Wenig wird verändert, nichts wird hinzugefügt, viel wird weggelassen: am Ende bleibt ein scheinbar wahlloses Gemenge von Stichwörtern und Phrasenfetzen, die im ursprünglichen Kontext vielleicht voller Pathos und Dramatik waren, aus dem Zusammenhang gerissen jedoch lächerlich, allenfalls erheiternd wirken.

Wenn je ein moderner deutscher Autor seinem Werk überzeugendes sprachliches Lokalkolorit verliehen hat, dann ist es Günter Grass. Allein durch seine Sprache legitimiert sich Grass als Deutscher, der in der erzählten Zeit am Ort der erzählten Handlung lebte. Eine Fülle von Wörtern und Worten beschwört der Autor, die teilweise schon in Vergessenheit geraten sind, Namen, Phrasen, Floskeln und geflügelte Worte aus ältester wie jüngster deutscher Vergangenheit: die Rentenmark, das Eiserne Kreuz, das KdF-Schiff Wilhelm Gustloff, die Mackensen-Husaren, den Seehelden Paul Benecke, den Zirkus Busch, Partei-Kluft, «Heim ins Reich», «Jungvolk» und Röhmputsch, sidolgeputztes Blech, Eintopfsonntage, Kyffhäuserbund, die Berliner Olympiade mit Jesse Owens, Völkerbund und Beutedeutsche, die Grüne Minna und die Reiter-SA-Kapelle, BdM-Heimabende mit Hohner-Mundharmonikas und Verdunkelungspapier. Da sagt eine Lehrerin in der besten Absicht: «Er kann doch nicht dafür, daß er ein kleiner Pole ist» (*Blechtrommel*, S. 85). Da gibt es Feldpostkarten, Kimbern und Teutonen, HJ-Winteruniformen, Max Schmeling auf Kreta, Ortsbauernführer, Kunstleder, Volksempfänger, Vitamintabletten, Blitzmädchen, Lebensmittelkarten und Soldbücher, Gefrierfleischorden und Nahkampfspangen, Luftwaffenhelfer, Ostarbeiter, Kunsthonig, Knobelbecher, bezugscheinfreie Holzsandalen, Erntedankfeste in Bückeburg, Opfer der Bewegung, Luis-Trenker-Filme, Juno-Zigaretten, Persil und Ostgoten, Weckgläser und die Schlacht bei Leuthen. Da liest man Reclam-Heftchen, des Walter Flex' Schriften, Wiecherts *Einfaches Leben*, Felix Dahns *Kampf um Rom*. Da spricht man vom tapferen Schneiderlein und von theatralischen Sendungen. Da singt man noch einmal «Lili Marlen», «Es geht alles vorüber» und «Regentropfen». Und nach dem Kriege gibt es Kreppsohlenmänner, Schieber, Umbettungen, Luftbrücke, Zuckerrübensirup, «Rosamunde» und «In the mood».

Wenn Danzig der eine Pfeiler ist, auf dem Grass seine Werke aufbaut, dann sind Preußen-Deutschland, der Katholizismus und der

Nationalsozialismus die drei anderen. Walter Matern bekennt in der Diskussionsparodie der *Hundejahre,* er habe mit der Königin Luise, der Jungfrau Maria und Eva Braun geschlafen. Grass ist geradezu besessen von germanischer, brandenburgisch-preußischer, deutscher Geschichte und Sage. Immer wieder spricht er von den Nibelungen, der Schlacht im Teutoburger Wald, dem Blutbad zu Verden, dem Sieg auf dem Lechfeld, dem Gang nach Canossa, Jung-Konradin, dem Bundschuh, den Habsburgern, dem Dreißigjährigen Krieg, den drei schlesischen Kriegen, den Teilungen Polens, der Paulskirche, den Düppeler Schanzen, der Emser Depesche, Kulturkampf, Dreibund und Hereroaufstand, Marne, Pickelhaube und Stahlhelm, Dolchstoß, den Soldatenräten und dem Spartakusbund, dem Ermächtigungsgesetz und den Fackelzügen. Lebendig werden wieder Bismarck und Caprivi, Hohenlohe und Bülow, Herbert Norkus und Horst Wessel, und mit ihnen werden nicht Hunderte, sondern Tausende von Stichwörtern aus dem deutschen Geschichtsbuch beschworen.

Warum wohl dieses versessene Umgraben, dieses Hervorholen von verschütteten, fast vergessenen Erinnerungen? Grass sagt in dem Interview mit Berliner Studenten (Grunert [Hrsg.], *Wie stehen Sie dazu?* S. 84), er wolle die Vergangenheit lebendig erhalten, damit sie nicht historisch abgelegt werde. Etwas später meint er dann, er wolle sie auch für sich selbst lebendig erhalten. Beruht auf diesem Wachhalten der Vergangenheit durch das sprachliche Kunstwerk nicht zu einem großen Teil der Reiz, den Grass auf seine Leser ausübt, besonders seine deutschen Leser? Mit der Kapitulation im Jahre 1945 kam ja nicht nur das «Dritte Reich», sondern in weitem Maße auch die preußisch-deutsche Geschichte in «Diskredit». Seit dem letzten Krieg ist es so gut wie unmöglich, einen Staatsmann, einen Monarchen oder gar einen Feldherrn der germanisch-preußisch-deutschen Geschichte zum Helden eines literarischen Werkes zu wählen, ohne sich gleich dem Verdacht von nationalistischen Tendenzen auszusetzen. Eine ganze Bewußtseinsschicht der heute lebenden Generation wird hier aus dem schlechten Gewissen heraus totgeschwiegen oder bestenfalls in negativem Sinn oder am Rande berührt. Es ist die gleiche Reaktion, die auf der Kehrseite mitunter den edlen Juden in der deutschen Nachkriegsliteratur zu einem idealisierten literarischen Typ hat werden lassen.

Und es ist nur zu natürlich, daß dem Tabueinreißer Grass weder die wie auf Verabredung eingetretene Idealisierung des Juden noch das Totschweigen der deutschen Vergangenheit heilig ist. Die Juden und Halbjuden im Grass'schen Werk sind wie alle anderen Gestalten mit menschlichen Vorzügen wie mit menschlichen Schwächen und Gebrechen ausgestattet. Die deutsche Geschichte aber mit ihren Ereignissen, Gestalten, Parolen, Sagen und Liedern feiert in der Grass'schen Sprache eine triumphale Wiederauferstehung. Grass kommt hier sicherlich einem stillen Bedürfnis und Wunsch des deutschen Lesers entgegen, um so mehr, als er nicht predigt, als er kaum Stellung nimmt. Man hat nun mehr als genug an sogenannter engagierter Literatur, man weiß, daß Hitler und die SS böse waren, Bismarck und Hindenburg und Ludendorff auch, nur nicht ganz so böse. Grass hingegen zeichnet die Geschichte als ein interessantes Schulfach und als ein Spiel, manchmal ein vorwiegend amüsantes, manchmal ein groteskes Spiel, aber immer als ein Spiel. Dies kommt zum Ausdruck durch kindliche Redewendungen, durch Diminutive und andere Verniedlichungen, mehr direkt durch die Metapher von geschichtlichen Ereignissen als Spiel oder als ausgelassenes Fasnachtstreiben. Im Kapitel «Soll ich oder soll ich nicht» *(Blechtrommel)* spricht Grass von dem Städtchen Danzig, das von den wilden Pruzzen und später von den Brandenburgern und Polen «ein bißchen zerstört» wurde. Dieses «ein bißchen zerstören» verwendet er gleich dreimal. Dann heißt es: «Ein zerstörerisches und wiederaufbauendes Spielchen treibend wechselten sich jetzt mehrere Jahrhundert lang die Herzöge ... ab» (S. 491). Die Hussiten, so schreibt Grass, «machten hier und da ein Feuerchen» in Danzig (ibid.). Den Schweden «machte das Belagern der Stadt solchen Spaß, daß sie es gleich mehrmals wiederholten» (ibid., S. 492). Die Eroberung von Berlin durch die Russen wird im gleichen Sinne, allerdings mit mehr Gewicht auf dem Grotesken, als komisch-verzerrte Jagd nach Hitlers entlaufenem Lieblingshund Prinz geschildert. Das Einstreuen von Sprachfetzen aus der historischen Sphäre in Abschnitte, die sich nicht vorwiegend mit geschichtlichen Ereignissen befassen, entspricht demselben Wachhalteprinzip, denn es handelt sich fast immer um Sprachmaterial, das im Unterbewußtsein der meisten erwachsenen Deutschen einen Dornröschenschlaf hält.

Zwanglos flicht Grass in seine Prosa Zitate und Schlagworte ein, die jedem auch nur oberflächlichen Kenner der deutschen Geschichte geläufig sind, die jedoch Ausländern und besonders jungen Ausländern den Zugang zu seinem Werk erschweren: «Hie Welf, hie Waibling!» – «Gold für Eisen» – «In meinem Staat kann jeder nach seiner Fasson ...» – «Gebt mir vier Jahre Zeit ...» – «Vorsicht, Feind hört mit» – «Mutter und Kind» – «Keiner soll hungern, keiner soll frieren» – «Das Hohelied der Arbeit» – «... zwischen Etsch und Belt, Maas und Memel» – «Und wenn die Welt voll Teufel wär» – «Deutschland erwache». Öfters macht sich Grass über den Zeitungs- und Bonzenstil der DDR lustig. Er spricht etwa von «kapitalistischem Roggen», «klassenbewußten Scheuchen», «volkseigenem Hafer» und vom «aufbauwilligen Elbsandsteingebirge». Besonders gern gebraucht Grass das deutsche Lied und die mit der deutschen Geschichte in Beziehung stehende Musik. Er erwähnt den Badenweiler Marsch, Argonnerwald, das Engelandlied, Alte Kameraden, Preußens Gloria, Götterdämmerung, Parzifal, das Scheiden und Meiden der roten Husaren.

Ein ähnlich unerschöpfliches Reservoir an sprachlichem Material wie die deutsche Geschichte findet Grass im Katholizismus. Seine Methode ist hier eine ähnliche: Die weltanschauliche Distanz bleibt weitgehend gewahrt, während sich seine zwiespältige Haltung in gewagten Parodien und Blasphemien manifestiert. Grass verleugnet nie seine katholische Herkunft. Seine Bücher sind durchtränkt von einem Wortschatz, der letztlich in der katholischen Kirche beheimatet ist. Mehrere Male flicht er sogar lateinische Brocken aus der Messe in seinen Erzählstrom. Einer seiner vorgeschobenen Erzähler bekennt für Grass, er könne «von dem Zauber nicht lassen, lese Bloy, die Gnostiker, Böll, Friedrich Heer ...» (*Katz und Maus,* S. 100). Die Haß-Liebe-Beziehung, bei der der Haß zu dominieren scheint, äußert sich in zu nichts verpflichtenden Formulierungen, meist Zusammenstellungen von disparaten Sprachelementen. Da heißt es in *Hundejahre:* «Ein Engel geht durch die große fußbodengekachelte warme strengsüßriechende heilige katholische Männertoilette des Hauptbahnhofs Köln» (S. 447). Mit Vorliebe koppelt Grass das Sakrale mit dem Profanen, dem Vulgären, dem Abstoßenden oder dem Groberotischen. Walter Matern in *Hundejahre* «sucht immerzu Gott» und findet «allenfalls Exkremente», und er stellt sich die Frage, ob Gott «die Urvogelscheuche» sei. Der Bericht über das Ausdrücken eines Riesenfurunkels wird in der *Blechtrommel* mit dem Aufsagen eines Vaterunsers verzahnt. Der Blechtrommler Oskar gesteht für den Schriftsteller Günter Grass: «Ich gebe zu, daß die Fliesen in katholischen Kirchen, daß der Geruch einer katholischen Kirche, daß mich der ganze Katholizismus heute noch unerklärlicher Weise wie, nun, wie ein rothaariges Mädchen fesselt, obgleich ich rote Haare umfärben möchte, und der Katholizismus mir Lästerungen eingibt, die immer wieder verraten, daß ich, wenn auch vergeblich, dennoch unabänderlich katholisch getauft bin» (*Blechtrommel,* S. 163). Einige Seiten später gibt Grass eine typische Probe dieser Lästerungen, die ihn noch vor vierhundert Jahren mit ziemlicher Sicherheit auf den Scheiterhaufen gebracht hätte. Wieder ist es das für ihn charakteristische Nebeneinander von traditionell streng geschiedenen Sphären, mit dem er Ärgernis erregen will: «Als Oskar das Gießkännchen des Jesusknaben, das fälschlicherweise nicht beschnitten war, eingehend betastete, streichelte und vorsichtig drückte, als wolle er es bewegen, spürte er auf teils angenehme, teils neu verwirrende Art sein eigenes Gießkännchen, ließ darauf dem Jesus seines in Ruhe, damit seines ihn in Ruhe lasse» (ibid., S. 168). In eine ähnliche Kategorie des berechneten Bürgerschocks gehört der folgende Satz: «Jesus Christus, der uns allen verziehen hat, hat auch die Buhnen der Männertoilette frisch emaillieren lassen» (*Hundejahre,* S. 514). Natürlich gibt es auch zahlreiche relativ harmlose Anklänge und Echos aus dem Katholizismus bei Grass; vorherrschend ist jedoch die beabsichtigte, ausgesprochene Blasphemie in Form der sorgfältig ausgewogenen Juxtaposition von sakralen und vulgären Sprachelementen.

Einen Platz für sich nimmt im Grass'schen Werk das harmlose Kinderliedchen ein, bei Grass fast immer im Zusammenhang mit verzerrten, übersteigert-bizarren Ereignissen gebraucht. «Backe, backe Kuchen», «Ist die Schwarze Köchin da», «Grün, grün, grün sind alle meine Kleider», «Wer will fleißige Waschfrauen sehen» sind die Weisen, die Oskar im Zwiebelkeller-Kapitel den weinenden und hosennässenden Besuchern des exklusiven Nachtlokals vortrommelt. Für Kinder wird scheinbar erzählt, wenn Grass im Märchenstil beginnt: «Es war einmal ein Mädchen, das hieß ...» – «Es war einmal ein Polizeipräsident, dessen Sohn ...» – «Es war einmal ein Spielzeughändler, der hieß Markus und verkaufte weißrotgelackte Blechtrommeln.» Wieder beobachten wir hier den Riß zwischen Form und Gehalt, der das Werk Grass' kennzeichnet. Jede der zitierten Märchenformulierungen funktioniert als Einleitung, Erläuterung oder Ausklang eines mehr oder weniger verschroben-grausigen Geschehens. In dem Kapitel «Glaube, Liebe Hoffnung» *(Blechtrommel)* zum Beispiel wird die Verwüstung eines jüdischen Geschäftes durch SA-Männer, der Selbstmord des Inhabers, der Abstieg eines Musikers zum unmenschlichen Pogromhelden, der qualvolle, langsame Tod von vier Katzen und anderes mehr geschildert. Das vorherrschende Vokabular des Kapitels – Weihnachtsmann, Kasperles Großmutter, Christkindchen, Nüsse, Knackmandeln, Knecht Ruprecht, Adventszeit – steht in der gleichen Diskrepanz zu den geschilderten Ereignissen wie der Titel «Glaube, Liebe, Hoffnung». Das Makabre der Handlung wird in wenigen eingestreuten Wörtern wie «Gasmann» lediglich angedeutet, durch die im Gutenachtgeschichtenton getarnte Berichterstattung jedoch um so eindringlicher gestaltet. Von den SA-Männern heißt es beispielshalber, sie hätten die Tür verachtend durch das Schaufenster in das jüdische Geschäft gefunden, wo sie Oskar beim «Spiel» mit den Trommeln, Affen und Segelschiffen findet. Bezeichnenderweise schließt das Kapitel mit dem naiven Satz: «Es war einmal ein Musiker, der hieß Meyn, und wenn er nicht gestorben ist, lebt er heute noch und bläst wieder wunderschön Trompete» (S. 247).

Grass' Stil ist exoterisch, auch dem Mann auf der Straße verständlich. Der Slang, die Landsersprache, die Kumpelsprache, die Gaunersprache, die schnoddrige Umgangssprache feiern Triumphe in seinen Büchern. Seine Helden verdünnisieren sich, verduften, ziehen Leine, fummeln herum, linsen durch Schlitze, sprechen von einem Abwaschen, vom September, wie er im Buche steht, von Jesuslatschen und Räuberzivil, von Turnhallenmief und abgesoffenen Kähnen. Da wird gebüffelt und verpetzt, da wird Rabbatz gemacht. Man wechselt die Klamotten und packt seine Siebensachen, man grabscht einen Füller und spricht von x-beliebigen Hunden. Jemand wird nach Buxtehude geschickt oder dorthin, wo der Pfeffer wächst. Es gibt Bummelanten und Gespusi und jede Menge Himmelfahrtskommandos. Man schnurrt etwas herunter, ribbelt Wolle auf, nimmt jemanden auf die Schippe, sieht seinen Glauben futsch gehen. Jemandem bleibt die Spucke weg. Man muß zum Barras, man zittert Morgen für Morgen los, man dreht ein Ding, man fragt: «Bei euch piept's wohl?» Wenn man nicht mitreden kann, ist man abgemeldet, wenn etwas nicht in Frage kommt, heißt es: «Kommt nicht in die Tüte.» Finger werden Griffel genannt, Soldaten sollen die Schnauze hinhalten. Die Liste ließe sich beliebig verlängern.

Ohne Bedenken steigt Grass in die untersten Bereiche der deutschen Sprache. Wie ihm keine vulgäre Handlung zu vulgär als Stoff ist, so ist ihm auch keine gemeine und rohe Sprache zu gemein und roh für sein Werk. Mißachtung aller überlieferten Tabus ist erklärtes Prinzip bei Grass, und Mißachtung aller sprachlichen Tabus ist ein Teil dieses Prinzips. Besonders das Vokabular der Vulgärerotik hat dank Günter Grass zum ersten Mal einen angemessenen Platz in der deutschen Literatur gefunden, ohne den geringsten Ansatz von Euphemismus oder Periphrase. Grass spricht von Schwanz und Riemen und Klöten, man lockt sich einen von der Palme, jemand ist verkehrt herum (homosexuell), jemand bekommt die Eier poliert. Von Tulla Prokriefke heißt es, daß sie so ziemlich jeden «ran ließ», und Mahlke sagt man nach, er müßte «die Alte ganz schön gerammelt haben». Der Höhepunkt dieses Watens im Obszönen ist wahrscheinlich die Bettepisode mit Inge Sawatzki, Jochen Sawatzki und Walter Matern in *Hundejahre* (S. 452 f.), doch steht ihr das Kapitel «Die dritte bis vierundachtzigste Materniade» (*Hundejahre*, S. 457 bis 473) in dieser Hinsicht kaum nach.

Typisch für den Grass'schen Stil ist auch die gewollte Verwendung von Bathos, dem abrupten Abstieg vom scheinbar erhabenen, idealistischen Ton zur zynischen, brutalen, entlarvenden Aussage. In *Hundejahre* sagt die Cellistin Fräulein Oeling zu Matern: «Zeit heilt Wunden. Musik heilt Wunden. Glaube heilt Wunden. Kunst heilt Wunden. Besonders Liebe heilt Wunden!» Ohne weiteren Übergang kommt sofort das sarkastische Echo: «Alleskleber. Gummi Arabicum. Uhu. Porzellankitt. Spucke» (S. 466). Und da der ungläubige Matern Fräulein Oelings tröstliche Lehre gleich ausprobieren will, setzt er sie auf eine Mülltonne und treibt Liebe mit ihr inmitten von Unrat, Gestank und gärendem Abfall. Noch bezeichnender ist der Abschnitt in *Hundejahre*, worin in getragenem, feierlichem Ton von Ostlandfeiern, Waldbühnen, Baumann-Kantaten, Schicksalsfragen und Schicksalsantworten die Rede ist. Zentral stehen die Worte:

> Die Kantate behandelt das Schicksal des Ostens. Ein Reiter reitet durch deutsche Lande und spricht: ‹Das Reich ist größer als die Grenze steht!› Fragen der Chöre und der vier Hauptfragensteller beantwortet der Reiter mit Worten, wie auf Metall gehämmert: ‹Die Burg müßt Ihr halten und gen Osten das Tor!› Langsam münden Fragen und Antworten in ein einziges heißes Bekenntnis. Schließlich klingt die Kantate mit einem Hymnus auf Großdeutschland aus (S. 471).

Die letzten Zeilen bringen dann den ernüchternden Keulenschlag: «Scheiße verdammte. Nach Ostland wollten wir mit Hölderlin und

Heidegger im Tornister. Jetzt sitzen wir im Westen und haben den Tripper.» Die letzten Sätze haben natürlich den Zweck, alles Vorhergehende, nachdem es so geduldig und stilecht aufgebaut wurde, auf die Ebene von Tirade und Geschwafel abzuschieben. Die von Grass durch die Wendung vom Pathetischen zum Lächerlichen, Grotesken, Schaurigen oder Widerwärtigen gesuchte Wirkung ist immer die gleiche: Verunglimpfung von etwas traditionell Erhabenem. Gleichzeitig mag es sich um Vorgänge wehmütigen Erinnerns mit anschließender Ernüchterung handeln.

Immer wieder wird Grass vorgeworfen, er gehe entschieden zu weit mit seinem alles zersetzenden, nichts gelten lassenden Nihilismus. Freunde und Gleichgesinnte der Verschwörer vom 20. Juli 1944 sind empört, und wahrscheinlich zu Recht, über Grass' ironische, überhebliche, um nicht zu sagen sarkastische Sprache, mit der er Graf Stauffenbergs mißglücktes Attentat beschreibt:

> Dem Attentäter jedoch, der schon vor Monaten seine Proben mit Bombe und Aktentasche abgeschlossen hatte, gelang es nicht, in ein Kriegsgefangenenlager für Antifaschisten zu kommen. Auch mißglückte sein Attentat, weil er kein Attentäter von Beruf war, ungelernt nicht aufs Ganze ging, sich verdrückte, bevor die Bombe deutlich ja gesagt hatte, und sich aufsparen wollte für große Aufgaben nach geglücktem Attentat (*Hundejahre*, S. 395).

Mußte das sein? Diese Frage kann allein Grass beantworten. Walter Matern sagt in *Hundejahre* über den Vogelscheuchenschöpfer Eddi Amsel, er sei zu zynisch gewesen, alles hätte er lächerlich gefunden, nichts sei ihm heilig gewesen. Die letzten Todeszuckungen des «Dritten Reiches», die blutigen, verzweifelten Kämpfe in Berlin geben Grass Material für glänzende, ein wenig zu lange Heidegger-Parodien, in denen das grausige Geschehen als groteske Komödie erscheint. Man braucht auch keinesfalls orthodoxer Katholik zu sein, um etwas betreten den Bericht vom Geschlechtsverkehr im Beichtstuhl zu lesen, den Grass ohne übertriebenen Takt mit ziemlich kruder, wenn nicht ordinärer Sprache bringt (*Hundejahre*, S. 486 f.).

Eine typische Charakteristik des Grass'schen Stils ist das regelmäßig, fast routinemäßig angewandte retardierende Element, das allerdings mit der Retardation des klassischen Dramas wenig gemeinsam hat. Grass stellt keine mögliche zweite oder dritte Lösung in Aussicht, sondern spielt vor den Augen des Lesers mit Fakten und Mitteilungen, die mit dem Verlauf der Handlung wenig oder nichts zu tun haben, bis sich beim Leser langsam die brennende Frage einstellt: «Wann und wie geht es nun endlich weiter?» Manche dieser spannungstauenden Digressionen sind wenige Zeilen lang, andere erstrecken sich über eine oder mehrere Seiten. In den meisten Fällen handelt es sich um konzentrierte Milieubeschreibungen, die sich auf eine Person oder eine Episode zuspitzen. Den Satz «In diesem Vorort zwischen . . . wohnte ein Mädchen, das hieß Tulla Prokriefke und war schwanger, wußte aber nicht von wem» (*Hundejahre*, S. 374) füllt Grass mit Schrebergärten, Exerzierplätzen, Rieselfeldern und einer Menge anderer Details über Langfuhr, bis schließlich nach dreiundzwanzig Zeilen dieses monströsen Gebildes das lang erwartete Verb, das Prädikat ausgeschüttet wird. Das retardierende Element, von Grass verwandt, kann auch andere Funktionen haben. Grass scheint zu wissen, daß er seinen Leser nicht ungestraft für unbegrenzte Zeit auf hohen Spannungsebenen halten kann. Er gibt ihm deshalb die Möglichkeit, sich bei Nebensächlichem zu erholen und sich auf die nächste ereignisreiche, handlungsschwangere Episode vorzubereiten. Auf den spannungsgeladenen Kampf zwischen Pianist und Hund folgt diesem Prinzip entsprechend der retardierende, spannungslösende Satz:

Dem Studienrat Brunies bot mein Vater die Kostenübernahme für die Reinigung des gelblich flauschigen Teddymantels an: zum Glück war Jennys Turnbeutel mit den seidig rosigen Ballettschuhen nicht im Rinnstein davongespült worden, denn der Rinnstein mündete in den Strießbach, und der Strießbach floß in den Aktienteich, und den Aktienteich verließ der Strießbach, und der Strießbach floß durch ganz Langfuhr, unter der Elsenstraße, Hertastraße, Luisenstraße hindurch, an Neuschottland vorbei, Leegstrieß hoch, mündete am Broschkeschenweg, Weichselmünde gegenüber, in die Tote Weichsel und wurde, mit Weichsel- und Mottlauwasser gemischt, durch den Hafenkanal, zwischen Neufahrwasser und der Westerplatte, der Ostsee beigemengt (*Hundejahre*, S. 228).

Die dritte, schon früher erwähnte Retardation ist die spielerische Variation von Aussagen über denselben Gegenstand, meist zum Zwecke eines komischen, belustigenden Effekts. Neben Grass' oft zitierter Phantasie über die Farbe Schwarz, in der er sich von regenschirmschwarz über tomatenschwarz zu schneeschwarz hinreißen läßt, gibt es einen weniger beachteten, doch aussageträchtigeren Braun-Reigen:

Diesmal waren es nicht nur SA-Uniformen. Auch das Zeug einiger simpler Parteigenossen fand sich darunter. Aber alles war braun: nicht das

Braun sommerlicher Halbschuhe; kein Nüßchenbraun Hexenbraun; kein braunes Afrika; keine geriebene Borke, Möbel nicht, altersbraun; kein mittelbraun sandbraun; weder junge Braunkohle noch alter Torf, mit Torfspaten gestochen; keine Frühstücksschokolade, kein Morgenkaffee, den Sahne erhöht; Tabak, so viel Sorten, doch keine so bräunlich wie; weder das augentrügerische Rehbraun noch das Niveabraun zweier Wochen Urlaub; kein Herbst spuckte auf die Palette, als dieses Braun: Kackbraun, allenfalls Lehmbraun, aufgeweicht, kleistrig, als das Parteibraun, SA-Braun, Braun aller Braunbücher, Braunen Häuser, Braunauer Braun, Evabraun, als dieses Uniformbraun, weit entfernt vom Khakibraun, Braun aus tausend pickligen Ärschen auf weiße Teller geschissen, Braun aus Erbsen und Brühwurst gewonnen; nein nein, ihr sanften Brunetten, hexenbraun nüßchenbraun, standet nicht Pate, als dieses Braun gekocht, geboren und eingefärbt, als dieses Dunghaufenbraun – ich schmeichle noch immer – vor Eddi Amsel lag (*Hundejahre*, S. 234 f.).

Spannungssteigernd ist die retardierende Variation wiederum dann, wenn sie wie im vorigen Zitat als Litotes erfolgt, wenn uns Grass erzählt, was alles der angekündigte Gegenstand *nicht* ist. In *Hundejahre* spricht er eine Seite lang geheimnisvoll von einem magischen Pulver, ohne es beim Namen zu nennen, bis er schließlich auf der nächsten Seite negativ zielstrebig und immer noch retardierend auf den Gegenstand losmarschiert: «Das war kein Fußpuder. Kein Schlafpülverchen wurde eingeführt. Kein Pulver zum schlank werden, keines gegen Löwen, Backpulver nicht, nicht DDT, keine Trockenmilch, weder Kakao noch Puderzucker, kein Mehl zum Brötchenbacken, nicht Augenpulver und keine Schlemmkreide; das war Pfeffer, schwarzer und fein gemahlener Pfeffer, den Haseloff mit dem Pinselchen siebenmal abzuladen nicht müde wurde» (S. 352). Diese Form der Anapher wurde natürlich schon von Seneca und Cicero und von den deutschen Klassikern angewandt, doch hat sie keiner von ihnen in dem Maß wie Günter Grass benutzt. Während sich Goethe, Schiller und Kleist meist auf eine dreifache Wiederholung beschränkten, bringt es Grass einmal auf nicht weniger als sechsunddreißig Wiederholungen desselben Wortes, nämlich «rein» (*Hundejahre*, S. 357). Da Grass mit seinem «Schubladengedächtnis» sicherlich weiß, in wessen Spuren er hier wandelt, fällt er am Ende der Seite in Rhythmus und Metrik des «Liedes von der Glocke»: Schillersches rhetorisches Pathos verwendet zur Beschreibung des Knochenbergs und der Seifenfabrikation in einem Konzentrationslager.

Der vierte, weniger oft angewandte rhetorische Kunstgriff der Retardation schließlich ist der von Satz zu Satz alternierende Gebrauch von die Handlung vorantreibenden und die Handlung retardierenden Elementen. Beim Lesen von solchen Abschnitten verfällt man unwillkürlich der Neigung, über die Ballaststellen hinwegzugleiten, um desto gründlicher die handlungsbezogenen Sätze in sich einsinken zu lassen. In *Hundejahre* heißt es: «Liebe Cousine Tulla, vom Bodensee und den Mädchen dort weiß ich nichts; aber von Dir und der Koschneiderei weiß ich alles. Du wurdest am elften Juni geboren. Die Koschneiderei liegt dreiundfünfzigeindrittel Grad nördlich und fünfunddreißig Grad östlich. Du warst vier Pfund und dreihundert Gramm schwer bei Deiner Geburt. Zur eigentlichen Koschneiderei gehören sieben Dörfer: Frankenhagen, Petztin, Deutsch-Cekzin, Granau, Lichtenau, Schlangenthin und Osterwick» (S. 140).

Spannungsstauung ist wohl auch der von Grass beabsichtigte Effekt seiner epischen Wiederholungen, doch geht Grass hier etwas zu weit, hier entpuppt er sich als unverbesserlicher Wiederkäuer. Die Episode des Aalfangs mit Pferdekopf zum Beispiel (*Blechtrommel,* S. 176–180) behauptet durch ihre unübertrefflich abstoßende Einmaligkeit einen wenn auch fragwürdigen, so doch unbestrittenen Platz in der deutschen Literatur, vielleicht in der Weltliteratur. Im Falle dieser Episode kann endlich einmal einwandfrei der direkte Einfluß von Literatur auf das öffentliche Leben, der Wunschtraum vieler Schriftsteller, nachgewiesen werden: Eine Reihe von Lesern sind seit der Lektüre der Blechtrommel allergisch gegen Aale. Doch warum muß Grass die Geschichte oder Teile der Geschichte ein dutzendmal wiederholen, einmal sogar mit allen Einzelheiten? Ähnliches läßt sich von seinen Leitmotiven sagen. Wenn ein Motiv, zum Beispiel die Glühbirnen und die Nachtfalter in der *Blechtrommel,* fünfmal oder auch achtmal verwendet wird, hat der Leser den Eindruck, daß sich unsichtbare Fäden und Beziehungen von den ersten Partien des Romans zu den späteren, von den ersten Phasen des Trommelerlebens zu den späteren spannen. Wenn jedoch dasselbe Motiv zwei, drei, ja vier dutzendmal beschworen wird, ist der Eindruck eher ein negativer. «Schon wieder», seufzt der Leser der *Hundejahre,* wenn er (S. 612) zum wievielten Male die Beschreibung eines schwarzhaarigen deutschen Schäferhundes vorgesetzt bekommt. Ausdrücken wie «die absackende Sonne», die beim ersten Gebrauch originell und spontan wirken, haftet bei Wiederholung sogar etwas Schales, Routinemäßiges an. Mehrere Kritiker haben schon behauptet, das letzte Drittel von Grass' erzählerischen Werken wirke immer farblos und flach, angeblich weil hier Leben und Milieu in Westdeutschland und nicht Leben und Milieu in der Weichselniederung wie in den ersten beiden Dritteln beschrieben werden. Das ist sicherlich nur zum Teil wahr, denn man sollte nicht übersehen, daß auch in den letzten Teilen seiner Bücher Kaskaden von funkelnden Einfällen enthalten sind. Das Flache und Farblose ist viel eher auf die zahllosen Wiederholungen zurückzuführen, die sich gegen Ende eines jeden Buches häufen und auf manchen Seiten mehr Platz beanspruchen als das neue Material. Beim zigmalsten Erwähnen von Großmutters Unterröcken in der *Blechtrommel* oder der Genealogie des Hundes Prinz in den *Hundejahren* dürfte sich auch bei einem begeisterten Grass-Jünger ein schleichendes Gefühl der Irritierung einstellen.

Günter Grass, das sei abschließend gesagt, steht als Former und Erneuerer der deutschen Sprache nicht zusammen mit Klopstock, Goethe oder Nietzsche, sondern mit Luther und Döblin. Kafka begnügte sich mit dem blutarmen Prager Deutsch, das er mit Johann Peter Hebels biederem Ton durchsetzte. Grass geht den anderen Weg. Er greift in vorklassische und zeitgenössische Derbheit und Vollblütigkeit der Sprache, er schaut dem Volk wie Luther und Döblin «aufs Maul» und schafft eine Sprache, die ein unverkennbar Grass'sches Siegel trägt. Bei Grass dribbelt es nicht, um etwas abgewandelt mit Fontane zu reden, bei Grass fließt es, strömt es, rauscht es, Grass spielt die deutsche Sprache wie eine Orgel, auf der alle Register gezogen sind. Ganz in diesem Sinne schreibt Hans Magnus Enzensberger in einem poetischen Hymnus auf die Grass'sche Sprache:

> Seine Sprache richtet sich dieser Autor selbst zu. Und da herrscht kein Asthma und keine Unterernährung, da wird aus dem vollen geschöpft und nicht gespart. Diese Sprache greift heftig zu, hat Leerstellen, Selbstschlüsse, Stolperdrähte, ist zuweilen salopp, ungeschliffen, ist weit entfernt von zisellierter Kalligraphie, von feinsinniger Schönschrift, aber noch weiter vom unbekümmerten Drauflos der Reporter. Sie ist im Gegenteil von einer Formkraft, einer Plastik, einer überwältigenden Fülle, einer inneren Spannung, einem rhythmischen Furor, für die ich in der deutschen Literatur des Augenblicks kein Beispiel sehe. Dieser rasende Artist macht immer neue formale Erfindungen, komponiert im ersten Kapitel ein syntaktisches Ballett, im sechzehnten ein ergreifendes Fugato, nimmt hier die Form der Litanei auf, verklammert dort den Bau der Erzählung mit rondoartigen Reprisen, bedient sich virtuos des Ganoventums, der den Wechsel zwischen der ersten und dritten Person erlaubt, und beutet Sprachschichten und Tonfälle vom Papierdeutsch bis zum Rotwelsch, vom Gemurmel des Dialekts bis zum Rosenkranz der Ortsnamen, vom Argot der Skatbrüder bis zur Sachlichkeit der Krankengeschichte aus (Einzelheiten S. 226).

V

Übersicht über die Grass-Kritik

Die erste kritische Erwähnung von Grass finde ich in einem von Charlotte Stephan geschriebenen *Tagesspiegel*-Bericht (17. Mai 1955) über das Berliner Treffen der Gruppe 47 im Jahre 1955: «Einen neuen, als ‹kräftig, vital und bravourös› apostrophierten Ton brachten die Gedichte des Berliner Bildhauers Günter Grass.» Kritischer äußert sich Peter Hornung in seinem Report für den Regensburger *Tagesanzeiger* (Mai 1955) über die gleiche Tagung: «Unprätensiöser war die Lyrik von Günter Grass, doch ließ sie einen eigenen Ton vermissen.» (Zwei Zeilen später schreibt Hornung von Heinrich Bölls «echter dichterischer Begabung»!) Der Dramatiker Grass wird von Hans Schwab-Felischs Gruppen-Tagungsbericht 1956 in der *FAZ* (1. Nov. 1956) gewürdigt: «... nicht jeder ist so urwüchsig, rebellisch und auf Klangwerte versessen wie Günter Grass ... Diesmal allerdings las er keine Gedichte, sondern ein kleines, kaum aufführbares, problematisches, aber doch ungemein begabtes Schauspiel, *Hochwasser*.» Wiederum Peter Hornung, diesmal in der Passauer *Neuen Presse* (16. Nov. 1956): «Eine Mischung aus kompliziertem Schriftdeutsch und schlichtem Unfug war eine Arbeit des Lyrikers Günter Grass, die er reichlich kühn ein Bühnenstück nannte.» Im Gruppen-Tagungsbericht 1957 schreibt Joachim Kaiser in der *FAZ* (2. Okt. 1957): «Kraft, fast brutale Kraft, verrieten zwei Akte des Dramas *Onkel, Onkel* von Günter Grass. Zwar scheint die theatralische Verifizierbarkeit dieses Dialogs fraglich: Die Situationen sind absurd, hart gewordene Alltagssprache legt hier Sentimentalitäten und Mordsituationen frei. In der surreal-berlinischen Welt von Grass wird der ‹Glaube an den Menschen› brillant zerschlagen. Brecht und Ionesco stehen Pate – auf Bühnenwirksamkeit kommt es nicht an.»

Der eigentliche, der große Durchbruch von Günter Grass in die Öffentlichkeit ereignete sich auf der Tagung der Gruppe 47 in Großholzleute (1958), als Grass zwei Kapitel der noch nicht fertigen *Blechtrommel* las und dafür den Preis der Gruppe erhielt. Joachim Kaiser schreibt dazu in seinem Bericht «Die Gruppe lebt auf» für die *Süddeutsche Zeitung* (5. Nov. 1958): «Die beiden Kapitel, das erste und das vierunddreißigste, vermitteln keinen zusammenhängenden Eindruck über Wesen und Verlauf des ganzen Romans. Aber sie verraten eine wilde Energie des Ausdrucks, eine unwiderstehliche Sicherheit der Gebärde und unheimliche Empfänglichkeit für bizarrgroteske Verbindung. Oft ungleichartige Stilmittel tarnen eine wilde Attacke, vor deren Kraft die Gruppe 47 kapitulierte.» In *Die Kultur* (15. Nov. 1958) berichtet Marcel Reich-Ranicki unter dem Titel «Eine Diktatur, die wir befürworten» über dieselbe Lesung: «Die Leute von der Gruppe 47 sind doch mutig: Sie scheuen sich nicht, einem noch unvollendeten, riesigen Roman, aus dem man nur zwei Kapitel gehört hatte, den Preis zu geben. Aber die beiden Kapitel haben es in sich. Grass schreibt eine unkonventionelle, kräftige, ja sogar wilde Prosa, deren Rhythmus schon jetzt unverwechselbar ist. Er kann beobachten und schildern, seine Dialoge sind vorzüglich, sein Humor ist grimmig und originell, und er hat viel zu sagen. Seine Prosa reißt manchmal hin und provoziert manchmal zum Widerspruch. Aber man kann ihr gegenüber nie gleichgültig sein. Sie stammt aus der Feder eines echten Talents.» *Der Spiegel* berichtet rückblickend (24. Okt. 1962) unter der Überschrift «Richters Richtfest» über diesen Grass'schen Durchbruch:

> Im Sessel rechts neben [Richter], die Lippen unter dem schwarzen Schnauzbart zu verbissenem Lächeln verzerrt, beide Hände an einen Packen Manuskriptpapier geklammert, erprobte währenddessen ein junger Autor Atemtechniken. Nach einem letzten Blick in den Halbkreis grinsender, flüsternder und gähnender Gesichter begann er zu lesen.
>
> Er las vom Blechtrommelgnom Oskar Matzerath und vom Alltagsleben im Irrenhaus, von Verbrecherjagd und kaschubischer Leidenschaft bei der Kartoffelernte.
>
> Nach den ersten Sätzen hatte sich Schadenfreude in Beifallsgelächter verwandelt, übernächtig Gähnende zwangen sich zur Konzentration. Spätestens am Ende der Lesung war offenkundig, daß das kritische Auditorium – die Gruppe 47 – von Oskars Abenteuern angetan und vom Talent des Oskar-Urhebers überzeugt war: Günter Grass hatte – und die Beckmesser des literarischen Meistersingens bescheinigten es ihm – mit seiner Probe aus dem noch unfertigen Roman *Die Blechtrommel* reüssiert.

In Hans Magnus Enzensbergers «Wilhelm Meister, auf Blech getrommelt» (1959) wird die Behauptung Lüge gestraft, ein Dichter könne nicht auch ein gerechter Kritiker sein. Rein zeitlich gesehen ist Enzensbergers Aufsatz die erste umfassende, tiefschürfende Kritik des Grass'schen Erzählwerkes, und es ist vielleicht nur Zufall, wenn viele seiner Gedanken und Ausdrücke in späteren Kritiken wiederkehren. (Wirkungen von Enzensbergers Essay lassen sich besonders in Hans Egon Holthusens «Günter Grass als politischer Autor» [1967] nachweisen.) Eine Paraphrasierung würde Enzensberger keine Gerechtigkeit widerfahren lassen, ich zitiere also wörtlich:

> Dieser Mann [Grass] ist ein Störenfried, ein Hai im Sardinentümpel, ein wilder Einzelgänger in unserer domestizierten Literatur, und sein Buch ist ein Brocken wie Döblins *Berlin Alexanderplatz,* wie Brechts *Baal,* ein Brocken, an dem Rezensenten und Philologen mindestens ein Jahrzehnt lang zu würgen haben, bis er reif zur Kanonisation oder zur Aufbewahrung im Schauhaus der Literaturgeschichte ist ...
>
> Was Grass ... einerseits von aller Pornographie trennt, andrerseits von dem ‹schonungslosen Realismus› der amerikanischen Schule unterscheidet, was seine brüsken Eingriffe legitimiert, ja zu künstlerischen Ruhmestaten macht, das ist die vollkommene Unbefangenheit, mit der er sie vornimmt. Grass jagt nicht, wie Henry Miller, hinter dem Tabu her: Er bemerkt es einfach nicht. Zu Unrecht wird man ihn der Provokation verdächtigen. Er ist dem Skandal weder aus dem Weg gegangen, noch hat er ihn gesucht; aber gerade dies wird ihn hervorrufen, daß Grass kein schlechtes Gewissen hat, daß für ihn das Schockierende zugleich das Selbstverständliche ist. Dieser Autor greift nichts an, beweist nichts, er hat keine andere Absicht, als seine Geschichte mit der größten Genauigkeit zu erzählen. Diese Absicht setzt er freilich um jeden Preis und ohne die geringste Rücksicht durch ...
>
> Seine Blindheit gegen alles Ideologische feit ihn vor einer Versuchung, der so viele Schriftsteller erliegen, der nämlich, die Nazis zu dämonisieren. Grass stellt sie in ihrer wahren Aura dar, die nichts Luziferisches hat: in der Aura des Miefs ... WHW, BdM, KdF, aller höllischen Größe bar, erscheinen als das, was sie waren: Inkarnationen des Muffigen, des Mickrigen und des Schofeln ...
>
> Daß diese Stadt [Danzig] in die deutsche Literatur Einzug hält erst jetzt, da sie den Deutschen endgültig verloren ist, darin liegt mehr als eine historische Ironie. Eine Eroberung wie diese setzt den Verlust voraus. Die große Danzig-Saga ... ist eine Suche nach dem verlorenen Raum. Unerreichbar und unerschöpflich, doch deutlich wie Vineta in der Flut, liegt Danzig auf dem Grund dieser Prosa da.

Eine Reihe glitzernder Fehlurteile über *Die Blechtrommel* fällt Günter Blöcker in seiner Rezension «Rückkehr zur Nabelschnur» (1959). Es ist traurig zu sehen, wie sich dieser brillante Kritiker langsam in die Rolle des verbitterten alten Mannes hineinlaviert, die Friedrich Sieburg in den Jahren vor seinem Tode spielte. Blöcker sieht Oskar als totale Existenzkarikatur von bravouröser Widerwärtigkeit, als allegorische Figur von schwer zu überbietender Scheußlichkeit. Die drei oder vier «anstößigen» Stellen der *Blechtrommel* wachsen für

Blöcker ins Riesenhafte und lassen ihn sonst nichts mehr in dem Buch sehen. Er glaubt, das Grass'sche «Schwelgen im Anstößigen» habe autobiographischen Zwangscharakter, es verderbe die künstlerische Gestalt, bleibe Einlage, Puschel, degoutantes Privatvergnügen. (Blöcker liebt den Ausdruck «Privatvergnügen».) In der *Blechtrommel* findet Blöcker ein «konsequent antihumanes Klima», meint jedoch, das Werk komme einem «versteckten Bedürfnis der Zeit» (eine andere Lieblingsphrase Blöckers) nach Erniedrigung entgegen. Dem Schriftsteller Grass schiebt er das «fragwürdige Überlegenheitsgefühl des Zuchtmeisters und enragierten Abrechnungsliteraten» zu. Am Ende beklagt sich Blöcker wehleidig über die Rolle, die er heute in der deutschen Literaturkritik spielt: «Doch wer sich sträubt, wer monumentalen Infantilismus, die Sphäre des pervertierten Kinderreims und die zur Muse einer ganzen Generation erkorene Schwarze Köchin nicht für der poetischen Weisheit letzten Schluß hält, gehört zum alten Eisen, gilt als reaktionär, bösartig, verstockt.»

Fast eine Hymne ist Walter Widmers «Genialische Verruchtheit» (1959), doch handelt es sich bei seinem Aufsatz zweifelsohne nicht um seichte Lobhudelei, sondern um literarische Kritik im guten Sinne des Wortes, um einfühlende Durchdringung des Besprochenen. Er nennt die *Blechtrommel* einen der stärksten Romane der Gegenwart, eines der schockierendsten Bücher, die je geschrieben wurden, und eines der ehrlichsten Bücher unserer Zeit. Widmer schreibt:

In Zukunft wird (für mich wenigstens) das Wort ‹grässlich› einen neuen Doppelsinn haben. Denn Günter Grass hat ein wahrhaft grässliches Buch geschrieben, einen Roman, der alle geheiligten Begriffe rüde verhohnepiepelt und ein Ärgernis darstellt. Es ist ein Buch, bei dessen Lektüre man faucht und jubelt. Man ist glatt erledigt, über den Haufen geworfen und weiß nicht, was man mehr bewundern soll, das handwerkliche Können und die sprühende Phantasie des Autors, seine pralle Lebensfülle und seine unversiegliche Darstellungskraft oder seine naive Verruchtheit, sein bedenkenloses Hinwegschreiten über sämtliche Schranken bürgerlicher Moral. Es waltet darin eine fast kindhafte Schamlosigkeit, ein oft obszönes Draufgängertum ...

Trotzdem: die Gefühle, mit denen wir sein Buch lesen, sind zwiespältig. Sagen wir es ohne Beschönigung: es ist ein inhumanes Buch, ein unmenschliches Werk, das keine Rücksichten kennt und auch keine nimmt. Siebenhundertvierunddreißig Seiten lang treibt der Autor mit Entsetzen Spott, über siebenhundertvierunddreißig Seiten führt er uns mit sardonischem Grinsen durch die Untiefen und Tiefen des Daseins und erspart uns keine, nicht eine einzige Desillusion ...

Da ist eine großartige, eruptive Erzählkunst manifest geworden, ein reißender Strom phantastischer Prosa geht über uns hinweg, eine stupende Fülle von Bildern und Gleichnissen, von grandios hingehauenen Handlungsabläufen stürzt über uns herein, wir lesen und staunen, starren entgeistert auf diese Naturgewalt, die über uns hereinbricht ...

Scheinbar ohne jedes Vorbild, aus sich selber gezeugt, parthenogenetisch entstanden, wie Joyce und Kafka, überwältigend und außerordentlich offenbart sich hier das spontane Urtalent eines großartigen Erzählers.

Auch Joachim Kaiser dringt mit seinem «Oskars getrommelte Bekenntnisse» (1959) ins Zentrum, ins Wesentliche der *Blechtrommel* ein. Er spricht von der «brutalen Kraft dieses durchaus unheimlichen Autors» und schreibt anerkennend: «In der deutschen Literatur ist seit langer Zeit nicht mehr so atemberaubend, aus solcher Fülle der Gesichter und Geschichten, der Figuren und Begebenheiten, der Realitäten und Sur-Realitäten, erzählt worden. Oskar hat mehr vorzubringen, als den meisten zeitgenössischen Romanciers für ein Lebenswerk zur Verfügung steht.»

Richard Kirn bespricht die *Blechtrommel* mit knappen, treffenden Worten in «Sein Zwerg haut auf die Trommel» (Nov. 1959). Man spürt des Verfassers Begeisterung über Grass' «strotzendes, wildes, faszinierendes, unwirkliches wie wirkliches Buch». In dem der Besprechung beigeschaltetem Interview mit Günter Grass sind besonders dessen Äußerungen über die Entstehungsgeschichte der *Blechtrommel* interessant:

Gewiß läßt sich die *Blechtrommel* auf den *abenteuerlichen Simplicissimus*, sicher auch auf Bildungsromane, wie *Wilhelm Meister* und *Der Grüne Heinrich* zurückführen, entscheidend beeinflußt hat mich jedoch Herman Melville, mit seiner Sucht zum Gegenstand, mit seinem *Moby Dick* ... Die ersten Aufzeichnungen entstanden im Sommer 1953. Im Februar 1959 wurde das Manuskript abgeschlossen ... Da ich mir die heute so beliebte, auf dem Kunstdünger des Rundfunks gewachsene ‹Rückblende› verbat, galt es chronologisch zu erzählen. So, immer hart am Stoff und einer Wirklichkeit gegenüber, die genau fixiert und benannt sein wollte, bedurfte es meterlanger Kapitelpläne und Zeittabellen. Auch muß man, wenn man chronologisch erzählt, sehr fleißig sein ... Ich ging 1956 aus familiären, beruflichen Gründen und ohne jeden Grund, sagen wir mal, aus Jux nach Paris. Mit oder ohne Paris: Die *Blechtrommel* wäre wahrscheinilch [sic!] nie geschrieben worden, hätten mich die westdeutschen Theater, die meine Stücke nicht spielen oder nachspielen wollten, etwas freundlicher behandelt. So sind also der Autor und die hoffentlich immer zahlreicher werdenden Leser der *Blechtrommel* unseren subventionierten Bühnen zu Dank verpflichtet.

In «Oskar Matzerath – Trommler und Gotteslästerer» (23. Okt. 1959) setzt Peter Hornung die scharfe Kritik fort, die er an Lyrik und Drama von Grass übte. Kritik ist im Fall von Hornung vielleicht nicht das richtige Wort, denn es handelt sich eher um das entrüstete Kläffen eines kleinen Provinzgeistes ohne jegliche literarische Perzeption. Ich zitiere Hornung lediglich der Vollständigkeit halber und nicht, weil er irgend etwas zum Verständnis von Grass auszusagen hätte. Er schreibt über Oskar und seinen geistigen Vater:

Vor Jahresfrist erhielt sein Schöpfer Günther [sic!] Grass (Jahrgang 27) den Preis der Gruppe 47. Offenbar war das der Blankoscheck dafür, daß sein 700 Seiten umfassender Roman ein Meisterwerk würde. Als dann eine epileptische Kapriole daraus wurde, übersah man das großzügig. Das Urteil der Mannen der Gruppe 47 ist ja unfehlbar ... Unter souveräner Mißachtung jeglicher echter Kategorien erklärte man Günther Grass sogar zu einem neuen Grimmelshausen und seinen kleinen Oskar zu einem neuen Simplizius. Ich gebe ja zu, daß das fortwährende Unterschreiben von Manifesten gegen die Atombewaffnung der Bundeswehr den Geist eintrübt ... Grunzend kann ich nur das Behagen nennen, mit dem Grass in Abnormitäten und Scheußlichkeiten wühlt. Konsequent macht er sich über jeden moralischen und ethischen Anspruch lustig. Vom religiösen ganz zu schweigen. Besonders das Motiv des Vatermordes scheint es diesem Grimmelshausen der Siebenundvierziger angetan zu haben. Da Klein-Oskar gleich zwei Väter besitzt (die Vaterschaft eines jeden unterliegt Mutmaßungen), hat der Autor Gelegenheit, zwei ebenso bestialische wie raffinierte Morde eingehend und nicht ohne verständnisvolles Kopfnicken zu beschreiben. Sogar am Tod der Mutter ist dieser verderbte Giftzwerg beteiligt. An Widerwärtigkeit diesen Verbrechen ebenbürtig sind die Amouren des Gnoms, die mit einem Abenteuer mit der späteren Stiefmutter beginnen und sich zu einem Kreszendo des Absurden und Abstoßenden steigern.

Eine Rebellion wurde *Die Blechtrommel* des Günther Grass genannt. Dem kann ich nur zustimmen, allerdings in einem anderen Sinne: Sie ist eine Rebellion des Schwachsinns und des erzählerischen Unvermögens, die in klinischen Phantasmorgien endet.

Wenig Licht fällt von der marxistischen Literaturkritik auf Grass. Ein ostdeutsches Kritikerkollektiv, bestehend aus Hans Jürgen Geerdts, Peter Gugisch, Gerhard Kasper und Rudolf Schmidt, beschäftigt sich in einem Aufsatz unter dem Titel «Zur Problematik der kritisch-oppositionellen Literatur in Westdeutschland (Chr. Geißler, G. Grass, H. E. Nossack, P. Schallück)» (1959/60) weniger mit literarischen als politischen Aspekten der besprochenen Literatur. Man glaubt, selbst das extrem Widerwärtige und Eklige sei durchaus daseinsberechtigt in einem literarischen Werk, solange es «die ganze Widerwärtigkeit, den ganzen Verfall der spätbürgerlichen Welt» versinnbildliche. Da dies bei Grass nicht der Fall sei, wird «die Schilderung der Scheußlichkeiten und sexuellen Exzesse ... zur Pornographie, zum Element einer dekadenten Schreibweise». Man schreibt dann sehr richtig, daß Oskar Matzerath «für die progressiven Kräfte Westdeutschlands gewiß nicht als stellvertretend gelten kann».

Wie schon die Überschrift «Der getrommelte Protest gegen unsere Welt» (1960) andeutet, sieht Karl Migner in seinem Aufsatz Oskars Trommeln als Auflehnung gegen die Verworfenheit der Welt, eine These, die er mit einigen schwachen Beispielen belegt. Migner glaubt, Oskar als zukünftiger Messias wolle den Menschen einen Weg aus ihrem «verqueren Leben» ohne Religion zeigen, indem er ihnen die Fragwürdigkeit ihres Daseins vor Augen halte. Der Verfasser vergißt, daß Oskar eher ein Anti-Messias ist: Anstatt einen Weg zur Erlösung oder auch nur zu einem besseren Leben zu zeigen, ist er seiner Umgebung immer eine Trommelstocklänge an Sünde und Verworfenheit voraus, ja, es bereitet ihm einen Heidenspaß, auch die anderen zu korrumpieren und sie zum Diebstahl zu verführen.

Auf der Grenze zwischen Reportage, Interview und literarischer Kritik bewegt sich der Aufsatz «Günter Grass» (Juni 1960) des Schweizers Hugo Loetscher. Der Verfasser hält es für falsch, Beziehungen zwischen Grass und Jean Genet oder Henry Miller zu sehen: «Hier geht es weder um die Vergöttlichung des Geschlechts, wie man sie bei dem Franzosen findet, noch handelt es sich um den mystischen Potenzbeweis von Sexus, wie ihn Henry Miller aufstellt.» *Die Blechtrommel* ist für den belesenen Loetscher ein «eminent katholisches Buch – nicht im konfessionellen Sinne oder weil Grass nach katholischem Ritus getauft worden ist, sondern im Annehmen und Gestalten der Sündhaftigkeit der Welt.» Loetscher besuchte Grass während der Entstehung der *Hundejahre:* An den Wänden sah er «merkwürdige Zeichnungen – es sind Pläne, vollgeschrieben mit Zahlen in verschiedenen Farben, wobei jeder Farbe eine Person oder ein Motiv entspricht; die Reihenfolge des Auftretens, das Nebeneinander, das Verschlingen der Figuren und Motive, all dies wird mit Zahl und Farbe festgehalten». Interessant ist die Vorschau auf *Hundejahre,* die Loetscher im Frühling 1960 von Grass erhält:

Ein Roman, der sich zum Thema die Klischees des Faschisten, des Kommunisten, des Demokraten nimmt – also ein politischer Roman, aber ein Roman und nicht Politik. Nicht Wiedergutmachung und nicht Atomklub. Nicht der Roman der edlen schönen Jüdin und des tierischen Nationalsozialisten, nicht des stubenreinen Demokraten und des stubenunreinen Kommunisten, sondern ein Roman der angeschlagenen Vorstellungen und der angeschlagenen Figuren, für die die Ambivalenz, die Doppeldeutigkeit unserer Zeit, die Vorlage gibt.

In dem Aufsatz «Ich schreibe, denn das muß weg» (1961) stößt sich Jost Nolte ein wenig zu oft an der Klassifizierung von *Katz und Maus* als Novelle. Er zählt auf, was in einer Novelle erlaubt und was «nun einmal nicht erlaubt ist», als ob die Zeit von Gottsched noch einmal Auferstehung feiern sollte. Für Grass' sogenannte Pornographie findet er als Entlastungsargumente Grass' unverkennbare Erzählkunst sowie das Prinzip, daß dem zeitgenössischen Kunstkonsumenten Aufreizung und Schrecken ebenso angemessen seien wie edle Furcht und hehres Mitleid.

Der Ungar Walkó György unterstreicht in «Günter Grass és a Betránkozók» (1961) die sozialen Elemente der *Blechtrommel* und befaßt sich mit der Wirkung des Buches auf die Leser, die es seiner Meinung nach verstört.

Keinen Anspruch als literarische Kritik erhebt Emil Ottinger mit seinem Aufsatz unter dem schönen Titel: «Zur mehrdimensionalen Erklärung von Straftaten Jugendlicher am Beispiel der Novelle *Katz und Maus* von Günter Grass. Von Diplompsychologe Dr. Emil Ottinger, Anstaltspsychologe an der Strafanstalt Ziegenhain (Hessen)» (1962). Ottinger beurteilt Joachim Mahlke vom Standpunkt und mit der Sprache des Psychologen. Er ist voller Anerkennung für die von Grass demonstrierten psychologischen Einsichten, und er betrachtet *Katz und Maus* als eine «erstklassige Quelle von Lebenskunde und Menschenverständnis». In einem für den Luchterhand Verlag geschriebenen Gutachten, veröffentlicht unter dem Titel «Denn was mit Katze und Maus begann, quält mich heute...» (1964), setzt sich Ottinger mit einem Antrag auseinander, die Novelle als jugendgefährdende Schrift zu erklären. Ottinger bezweifelt, daß die Phantasie jugendlicher Leser durch *Katz und Maus* negativ belastet wird und glaubt eher, daß «durch die drastische Realistik des Dichters, durch seinen deftigen, umgangssprachlichen Erzählerstil die sexuelle Sphäre von allem Schlüpfrigem, von allem Dumpfen, von allem Zwielichtigen und von allem Schwülen entkleidet und damit dem jugendlichen Leser das Häßliche der nackten Triebhaftigkeit vor Augen geführt und damit ein sexualmoralisch erwünschter abstoßender Effekt erzielt wird». Ottinger macht kein Geheimnis aus seinem Respekt für Grass: «Der Strafjurist, der Psychiater, der Gerichtsmediziner, der Kriminalpsychologe werden beim Lesen der Novelle fachlich angesprochen, sie finden wissenschaftliche Erkenntnisse bestätigt und künstlerisch verdichtet.» Dem Günter Grass wird also von Amts wegen der erzieherische, sexualmoralische Wert seiner Bücher bestätigt, was für den Schriftsteller selbst eine vielleicht nicht geringe Überraschung gewesen sein dürfte.

In seinem *Kritischen Führer durch die deutsche Literatur der Gegenwart* (1962) meint Karl August Horst in bezug auf *Die Blechtrommel*, es zeuge von der erzählerischen Potenz des Verfassers, daß ein Roman heute noch zu schockieren vermöge. Über den Humor der *Blechtrommel* schreibt Horst: «Der Humor von Grass spielt in einer anderen Region – nicht im Spiegelkabinett des Geistes, sondern im Labyrinth des Fleisches ... Mit böser Schamlosigkeit, die auch vor dem Satanischen nicht zurückscheut, wird hier das Innere ausgeweidet und als Auswendiges vorgezeigt» (S. 149).

Marcel Reich-Ranicki spricht in *Deutsche Literatur in West und Ost* (1963) von der *Blechtrommel* als einer «Eruption der aufgespeicherten epischen Energie». Er warnt davor, Oskar Matzeraths Inhumanität dem Verfasser zur Last zu legen, denn er glaubt, daß im Werke von Grass mit diskreten Mitteln eine moralische Wirkung angestrebt wird. Der Kritiker nennt Grass einen «sarkastisch-aggressiven Heimatdichter», einen «grimmigen Idylliker», der eine nicht mehr existierende Welt, nämlich das deutsche Danzig, unerbittlich sachlich und zugleich gefühlvoll darstellt. Der Jude Reich-Ranicki, der von 1940 bis 1943 im Warschauer Getto lebte, gesteht Grass zu, er habe «die in der deutschen Literatur nach 1945 heikle Frage der Darstellung jüdischer Gestalten zu lösen vermocht». Ranicki sieht die Juden im Werke Grass' als «reale Gestalten, wahrhaftig ohne Verherrlichung, ergreifend ohne Weinerlichkeit». In seinen Urteilen über Grass zeigt er sich als kompetenter Kritiker mit einer gesunden literarischen Erlebnisfähigkeit:

Grass will nicht überzeugen, sondern provozieren, nicht bekehren, sondern wachrütteln. Er will nichts verkünden, aber er möchte alles zeigen. Er befaßt sich nicht mit Problemen, er bietet Visionen. Diesen Erzähler faszinieren nicht Konflikte, sondern Bilder ... In manchen Teilen birst die *Blechtrommel* von Geschehnissen. Dennoch haben wir es mit einem lyrischen Roman zu tun. Grass' Verhältnis zur Umwelt ist wohl vornehmlich intuitiv und emotional und – in des Wortes bester Bedeutung – artistisch. Er ist nicht ein kritischer Analytiker, sondern ein staunender Beobachter und ein neugieriger Kundschafter, ein urwüchsiger Gaukler, den das Spiel mit Motiven und mit Worten erregt. Meist dominieren in seiner Prosa die sinnlichen Eindrücke. Mit einem verbissenen Trotz, der ihn mitunter zu Geschmacklosigkeiten verleitet, versucht er zu vergegenwärtigen, was sich sehen und hören, riechen, schmecken und betasten läßt (S. 219, 221).

In einer gescheiten Untersuchung, enthalten in ihrem Buch *Das Gericht in der deutschen Literatur des 20. Jahrhunderts* (1963), spürt Hildegard Emmel dem Problem von Oskars Schuld und Unschuld nach. Sie befaßt sich mit Oskars Anteil am Tod seiner Mutter, an der Erschießung seiner beiden «mutmaßlichen» Väter sowie am Mord der Krankenschwester Dorothea und schreibt schließlich unter Bezugnahme auf diesen mysteriösen Mord, was auch für die anderen «Verbrechen» Oskars gilt: «Oskar verbirgt sich hinter der Form nach gestammelten Worten und Wendungen, die, ein modernes Schuldbekenntnis parodierend, dennoch einiges aussagen. Es geht nicht um einen gerichtlich festzustellenden Mord ... Es geht vielmehr um die allgemeine Schuldsituation des Menschen. Obwohl sie vom Bürgerlichen Gesetz her nicht zu bezeichnen ist, weiß der einzelne vor sich selbst über sie Bescheid, sofern er sich überhaupt mit ihr befaßt, und er weiß sich auch von ihr zu entlasten» (S. 116).

Klaus Wagenbach spricht in seiner kurzen Würdigung «Günter Graß» (1963) vom Zweifel und von der Atmosphäre des radikalen Zweifels, der das Werk von Grass bestimmt. Er nennt den Grass'schen Text prinzipiell interpretationsfeindlich und konstatiert, daß der Autor seine Leser absichtlich in die Irre führe.

In «Das Pandämonium des Günter Grass» (1963) läßt Walter Jens die Theorie der Literatur, den dozierenden Professor zu Wort kommen. Sein Aufsatz ist bestimmt von «warum hat er» und «wieso macht er nicht» und «ich meine, es wäre besser gewesen». Für Jens ist die *Blechtrommel* «zweihundert Seiten zu lang»; die *Hundejahre* wären, so glaubt er, «mit dreihundert Seiten immer noch besser als jetzt; aber ein Ganzes ergäbe sich nie». Der gelehrte Theoretiker will also dem «Vollblutfabulierer» dreihundertzweiundachtzig Seiten seines Werkes streichen, um irgendwelchen «ästhetischen Grundgesetzen» Rechnung zu tragen; ihm schwebt anscheinend eine Art platonische Idee des Romans vor, der Grass nicht gerecht wird. Dann hegt Jens einen furchtbaren Verdacht: daß die Verteilung des Erzählens an ein Erzählerkollektiv nach Fertigstellung des Romans geschehen sei (als ob die Tatsache an sich auch nur das geringste gegen den Roman aussage). Jens zieht das Fazit seiner Kritik: «Die *Hundejahre* sind das schlecht komponierte, aus einigen grandiosen, manchen wacker-routinierten und zahlreichen sehr schwachen Episoden bestehende, insgesamt viel zu lange und anfangs über Gebühr verschlüsselte Buch eines bedeutenden, auf kleinem Felde großen Autors und Selbstimitators, der sich diesmal übernommen hat.»

Der Aufsatz «Apokalypse mit Vogelscheuchen» (1963) von Heinrich Vormweg wirkt deshalb neuartig und originell, weil sich der Verfasser im ersten Teil im Ton eines mickrigen puritanischen Spießers scheinbar und glaubwürdig über Grass entrüstet, um dann im zweiten eine durchaus sachliche Kritik folgen zu lassen. Am Anfang heißt es zum Beispiel: «*Hundejahre* ist geschrieben mit einer Kaltschnäuzigkeit, die an Religion und Heidegger, Liebe, Gefühle und die nackte Barbarei gleich unverfroren herangeht. Es ist ein obszönes, ungerechtes und dazu auch noch blasphemisches Buch ... Witze gehen vor Wahrheit. Einfällen ist Grass bereit, Verfassung, Kirche und die ewige Seligkeit zu opfern. Von gutem Geschmack hält er nichts. Die Syntax wird auf den Kopf gestellt ... Das Vokabular ist in einer schier schizophrenen Wortgier von überallher zusammengerafft; sämtliche Wörterbücher, scheint es, Slang, Dialekt und Rotwelsch werden geplündert, das monströse Gewürmel zu addieren, das schließlich in einer Phantasmagorie ... zum Bild erstarrt.» Alle diese «Einwände» werden im Verlauf der Kritik keinesfalls zurückgenommen, sondern unter positiven Vorzeichen wiederholt. Im letzten Satz bezeichnet Vormweg die *Hundejahre* als einen «Höhepunkt über Jahre». Den eigenen Ton hält dieser Rezensent auch in seinem Interview «Der Berühmte» (1964) durch. Er entschuldigt sich hier, daß aus seinem geplanten Interview mit dem berühmten Grass lediglich ein Besuch geworden sei und schildert so nebenbei in einer ansprechenden Art den Menschen Grass in seinem Milieu, in seiner Familie.

Karl August Horst preist in «Die Vogelscheuchen des Günter Grass» (1963) vor allem das erste Buch der *Hundejahre,* das er «ein Stück urtümlich raunender Prosa» nennt, bewußter, dirigierter und symphonischer als bei Döblin in seinen besten Zeiten. Im übrigen stößt sich Horst an Grass' Sprachverzerrungen und behauptet, der Autor «verhunze» mit seinen Sprachparodien seine eigene dichterische Sprache.

Heinz Ludwig Arnold («Die unpädagogische Provinz des Günter Grass», 1963) schätzt die *Blechtrommel,* doch liebt er sie nicht. Die Novelle *Katz und Maus,* die er ein Jahr vor Niederschrift seiner Rezension verwarf, hat inzwischen für ihn eine «deutliche Aufwertung» erfahren, sie fordert ihm «mehr Respekt» ab als damals. Er vergleicht Grass mit Jahnn, was mehr als fraglich sein dürfte, und sagt auf drei Seiten wenig Solides. Bemerkenswert ist die Beharrlichkeit, mit der dieser junge Kritiker (geb. 1940) sein eigenes Ich sogar in einer kurzen Übersicht über die Grass-Kritik ins Blickfeld gleiten läßt.

Kritik mit Niveau kommt von Henri Plard, der Grass in «Verteidigung der Blechtrommel» (1963) für eine erfreuliche, wenn auch nicht gemütliche Erscheinung hält. Plard zieht interessante Parallelen zwischen Oskar Matzerath und Simplicius Simplicissimus, Peter Pan und einigen anderen bekannten literarischen Figuren. In Grass sieht er vor allem das große, urwüchsige, naive Erzählgenie: «Er kann, was fast niemand mehr, nämlich erzählen. Verstehen wir uns recht: Jenseits allen Konstruktivismus und der Raffinements der epischen Technik, über die so viele heute erfreulicherweise verfügen, kann er erzählen im naiven, biederen, vor-thomasmannschen Sinn des Wortes: den Leser gleichsam am Westenknopf packen und mitreißen, wie die großen Meister des humoristischen Romans ... Als das Urphänomen des Erzählers stelle ich mir das Verfahren der arabischen Märchenerzähler vor, die auf irgendeinem Platz in Kairo, Bagdad oder Medina ihren Teppich ausbreiten, sich mit gekreuzten Beinen darauf setzen, den Mund auftun und stundenlang ihre Zuhörer so im Banne halten, daß sie, wie es so richtig heißt, an ihren Lippen hangen. Oder Sheherezade. Nehmen wir an, sie hätte dem düsteren Sheriar den

Mann ohne Eigenschaften erzählt – wie lange, meinen Sie wohl, hätte sie ihren Kopf gerettet? Aber Sheriar hätte auf Oskars Abenteuer genauso atemlos gelauscht wie auf die Geschichte Sindbads des Seefahrers. Im Ernst gesprochen: Die mehr oder weniger große Nähe zu *Tausendundeine Nacht* scheint mir kein übler Probierstein dieser Fähigkeit zum Erzählen zu sein. Wer möchte daran zweifeln, daß in Grass mehr Sheherezade steckt als in Musil, Proust, Broch und dem ganzen französischen Nouveau Roman zusammengenommen? Daß er sein Garn zu spinnen versteht, wo andere sich darin verstricken?»

Den häufig genannten Grass'schen Vorbildern Grimmelshausen, Rabelais, Sterne, Jean Paul und Melville fügt Victor Otto Stomps in «Menschenjahre – Hundejahre» (1963) noch Johannes Fischart hinzu, blufft auch erfolgreich mit einer Stilprobe von Fischart, die man für eine Grass'sche akzeptiert. Daneben weist er darauf hin, daß man Grass wie ein Kind lesen kann, dem jede Fortsetzung recht ist: Grass okkupiere den Leser in nichts, dieser bleibe frei und werde dennoch geleitet: «Ein Entwicklungsroman, wie die Buddenbrocks [sic!] etwa, verlangt zuviel Sympathie mit einer für uns anonymen Personengruppe, die zudem noch in Abhängigkeit von Begriffen eines heute kaum mehr existenten Bürgertums agiert.» (Nachhilfe: *Die Buddenbrooks* ist kein Entwicklungsroman, sondern ein Generationsroman, also eine Spielart des Familienromans.)

Wer immer den *Spiegel*-Bericht «Grass: Zunge heraus» (Sept. 1963) geschrieben hat: Er wurde von einem fachmännischen Kenner des Grass'schen Werkes verfaßt. Zuerst eine Reihe interessanter Einzelheiten über den Autor, in Übereinstimmung mit der Mehlwurm-Prophezeiung über den *Spiegel* in *Hundejahre*. («Kurzum, ein gutes Archiv, also zehntausend und mehr wohlgefüllte Leitzordner, ersetze das Denken; ‹die Leute wollen›, so sagen die Mehlwürmer, ‹nicht zum Grübeln angeregt, sondern genau unterrichtet werden›.») *Der Spiegel* weiß also zu berichten, daß der dreizehnjährige Grass sich an die Niederschrift eines ersten Romans *Die Kaschuben* machte und daß er dazu durch ein Preisausschreiben der NS-Schulzeitung *Hilf mit!* angeregt worden war. – An Führers letztem Geburtstag wurde der siebzehnjährige Grass bei Kottbus verwundet. Er kam nach Marienbad ins Lazarett und von dort nach Bayern in amerikanische Gefangenschaft. – 1953 wurde Grass für seine Lyrik Talent bescheinigt und gleichzeitig der Rat gegeben, sich einmal in Prosa zu üben: von keinem Geringeren als Gottfried Benn. Der Ratschlag wurde von Grass in den Wind geschlagen. – *Die Blechtrommel* entstand in einem Pariser Hinterhaus, Avenue d'Italie 111. – Für einen firmengeschichtlichen Aufsatz, geschrieben für die Berliner Meierei Bolle, erhielt Grass (vor 1959) DM 300.–. – 1963 waren gegen die Grass'schen Bücher zwei Dutzend – erfolglose – Strafanzeigen wegen Obszönität und Blasphemie eingegangen. – Grass sieht keinen Grund, aus der katholischen Kirche auszutreten und läßt seine Kinder katholisch erziehen: «Die können dann später selbst merken, was damit los ist.» – Grass fühlt sich von den heidnischen Elementen im Katholizismus angezogen. – In den vier Jahren nach dem Erscheinen der *Blechtrommel* verdiente er DM 400 000.– an den verschiedenen Ausgaben und Übersetzungen. – In Berlin-Grunewald, Karlsbader Straße 16, schrieb Grass mit mehrfarbigen Kompositions-Skizzen, Zetteln mit Motiv-Stichworten sowie Stadtplänen von Danzig an der Wand die Novelle *Katz und Maus* und *Hundejahre.* – Theodor Wieser von der *Neuen Züricher Zeitung* und Klaus Wagenbach vom S. Fischer Verlag fungieren für Grass als literarische Berater. – Etc. – *Der Spiegel* verrät auch, daß Grass seine Bücher in Etappen schreibt:

> Graß schreibt seine Bücher in drei Etappen. Die erste Niederschrift folgt dem Einfall, der Erinnerung, der Phantasie. Dann füllt er ‹Lücken› mit dokumentarischem Material. Für die *Hundejahre* wertete er unter anderem die ‹Lagebesprechungen im Führerhauptquartier›, das ‹Kriegstagebuch des Oberkommandos der Wehrmacht› und mehrere Fachbücher über das Schlagballspiel aus; für die Wirtschaftswunder-Satire holte er sich Rat bei Berlins Wirtschaftssenator Professor Schiller. Zuletzt pflegt Graß diese zweite Fassung so lange zu feilen, bis die eingefügten Fakten nicht mehr als Fremdkörper wirken (S. 69).

Was dem *Spiegel*-Bericht unter Umständen an literarischer Kritik abgeht, wird von Hans Magnus Enzensberger unter dem Titel «Günter Grass: *Hundejahre*» in der gleichen Ausgabe beigesteuert. Die Zeilen Enzensbergers gehören mit zu den pertinentesten der Grass-Kritik. Er bekennt zu Anfang, er fühle sich wie zu Hause in Danzig und den «lausigen Dörfern der Koschneiderei», was er als Sieg von Grass' erzählerischer Einbildungskraft wertet. Er sagt von den Schulidyllen der *Hundejahre,* sie könnten aus der *Feuerzangenbowle* stammen, wenn sie nicht plötzlich ins Grauenhafte umschlügen. Enzensberger nennt den Grass'schen Vogelscheuchen-Einfall romantisch à la E. T. A. Hoffmann und Jean Paul, doch glaubt er, Grass, von vielen für einen Schreckensmann gehalten, sei kein literarischer Jakobiner. In allen Grass-Büchern sieht Enzensberger Exemplifikationen von Redewendungen: der Held der *Blechtrommel* «redet Blech», Mahlke «taucht unter», die Menschen in *Hundejahre* «kommen auf den Hund», im Wirtschaftswunder ist «der Wurm drin». Der Verfasser fragt sich allerdings, ob diese Redewendungen den Zusammenhalt eines epischen Riesengebildes verbürgen können, und er schreibt: «Die *Hundejahre* sind ein Stück Literatur von großer sprachlicher Kraft, ein Hagelschauer von Einfällen und Provokationen, eine Anthologie von glänzend erzählten Kurzgeschichten, poetischen Kadenzen und satirischen Bravourstücken, sind Künstlerroman, Ammenmärchen, Heimatfibel, historisches Fresko zugleich, zwölf Bücher in einem – doch das Ganze, das der Singular Roman verspricht, sind sie nicht» (S. 71).

William P. Hanson macht unter dem vielversprechenden Titel «Oskar, Rasputin and Goethe» (Herbst 1963) einige spärliche Bemerkungen über die von Rasputin und Goethe (nach Hanson) verkörperten Seiten des deutschen Nationalcharakters und behauptet, Grass erstrebe in seinem Werk eine Synthese dieser Dichotomie.

Aus jüdischer Sicht wird das Werk von Günter Grass von Georg Steiner in «The Nerve of Günter Grass» (Mai 1964) analysiert. Steiner, der alles andere als germanophil ist, sieht die komplexe Haß-Liebe-Beziehung zwischen Deutschen und Juden in der Freundschaft zwischen Matern und Amsel dargestellt. In einer dramatisierten Paraphrase, die eigentlich schon gekonnte Neuschöpfung ist, extrahiert er die Geschichte dieser Freundschaft aus dem Wust des übrigen Materials von *Hundejahre* und faßt anscheinend ohne Ironie zusammen: «Now we know what we have known all along. That Walter Matern loved Eduard Amsel so well that he had to get his hands on the very heart of him, and see his thirty-two teeth in the snow. That when the right man whistles, German shepherds are the hounds of hell.» Steiner nennt Grass den stärksten, erfindungsreichsten Autor Deutschlands seit 1945 und schreibt wortgewaltig: «He stomps like a boisterous giant through a literature often marked by slim volumes of whispered lyricism. The energy of his devices, the scale on which he works, are fantastic. He suggests an action painter wrestling, dancing across a huge canvas, then rolling himself in the paint in a final logic of design.» Trotzdem glaubt Steiner, Grass' Kunst sei auf eine seltsame Weise altmodisch, Grass nehme den erzählerischen Faden da auf, wo ihn Döblin 1929 mit *Berlin Alexanderplatz* liegengelassen habe. Als Gründe nennt er Grass' naive Indifferenz gegenüber literarischer Theorie und Entwicklung sowie Deutschlands Isolierung von lebendiger und radikaler Kunst während der Nazizeit.

In «Groteske und Parabel» (1964) vergleicht Kurt Batt *Hundejahre* mit Walter Jens' *Herr Meister*, zum Nachteil des letzteren. Er nennt Grass einen eigensinnigen, hochbegabten Autor und bewundert seine erstaunliche Faktenkenntnis. Als Voraussetzung für das Verständnis der *Hundejahre* nennt Blatt ein Minimum von literarischer und zeitgeschichtlicher Bildung sowie wiederholte Lektüre. Er analysiert das Werk objektiv: «Polyphones Gewebe und ironische Doppelbödigkeit auch im Stilistischen: westpreußischer Dialekt und klassische Redefiguren, härtester Verismus und lyrisches Stilfiligran, glattester Straßenjargon, der in Jamben übergeht.» Blatt spricht noch von «monomanischer Detailhuberei», «grobianischem Fabulieren» und «groteskem Kaleidoskop» bei Grass.

Zu Grass' Freunden kann man den Franzosen René Wintzen zählen, doch ist er einer jener Freunde, die lästiger als Feinde sein können. Sein Aufsatz «Günter Grass, der Non-Konformist» (1964) ist eine seltsame Ansammlung von wahren, schiefen und völlig falschen Behauptungen literarischer und biographischer Art über Grass. In den beiden letzten Kategorien – schiefe und falsche Behauptungen – lassen sich mindestens fünfzehn ohne besondere Mühe aufzählen.

Der Tscheche Vladimir Kafka fragt sich in dem Aufsatz «Psi roky Güntera Grasse a Německa» (Günter Grass und Deutschlands Hundejahre, 1964), ob Grass ein amoralischer Ästhet oder ein grotesker Moralprediger, ein Traditionalist oder ein Avantgardist sei. Die *Hundejahre* sieht er als Entdämonisierung des «Dritten Reiches», als ein Märchen von Menschen und Tieren und als Satire, die die Geschichte entblößt. Er tadelt Grass, daß er weder philosophischer noch metaphysischer Bezwinger der Vergangenheit, auch kein Ausdruck des kritischen Realismus sei.

Daß eine intelligent betriebene Literatursoziologie auf ihre Art zum Verständnis eines literarischen Werkes beitragen kann, beweist Reinhard Baumgart in dem Aufsatz «Kleinbürgertum und Realismus» (1964), in welchem er die Rolle des Kleinbürgers in den Büchern von Grass, Böll und Johnson als Spiegel der sich transformierenden Gesellschaft aufzeigt.

Unter dem vielversprechenden Titel «A Corridor of Pathos: Notes on the Fiction of Guenter Grass» (Sommer 1964) zieht C. D. Jerde auf Jagd nach Symbolen im Werke Grass', und er findet sie auch überall. Penissymbole stehen bei amerikanischen Kritikern schon lange in hohem Kurs, und Jerde sieht Penisse in Aalen, Narben, Trommelstöcken, Patronenhülsen, abgeschnittenen Fingern und sogar in Oskars «Gießkännchen». (Wie kann ein Penis zugleich Symbol für einen Penis sein? W. J. S.) Jerde untersucht ebenfalls das, was er «gloom motifs» nennt, nämlich die düsteren, unheilschwangeren Motive im Werke Grass'.

In «Der Roman als Anschauungsform der Epoche» (Nov. 1964) vergleicht Anni Carlson Thomas Manns *Doktor Faustus* mit den *Hundejahren*, die sie beide als «große imaginäre Geschichtsschreibung», als «mythische Anschauungsformen der Epoche» und als «Dichtung großen Stils» bezeichnet. Sie nennt eine Reihe von parallelen Erscheinungen in beiden Büchern: das Vorherrschen der Parodie, das lyrischrhythmische Skandieren von Musik, das faustische Motiv des höllischen Hundes. Thomas Manns kleine Seejungfrau und Grass' Eiskönigin sieht Anni Carlson als Schwestern aus Andersens Märchenwelt, als magische Naturwesen und Symbole der Psyche. Grass ist für sie der weit ursprünglichere Fabulierer und Erfinder. Ihr Aufsatz ist gut ausgearbeitet und enthält mehrere kluge Beobachtungen und Vergleiche.

Eine sensible Würdigung mit Niveau, die manchmal die Form einer Hymne annimmt, stammt von Earl Rovit: «The Holy Ghost and the Dog» (Herbst 1965). Rovit sieht im Werke von Grass die außergewöhnliche Schöpfung eines ausgesprochen isolierten, empfindlichen Geistes; gleichzeitig sieht er in Grass den Katalyst, den stummen Interpreten eines privaten Erlebnisses in einer Form, die so unpersönlich ist wie die Kreuzigung, die kollektive Verantwortung für die Schrecken des Zweiten Weltkrieges oder das promethische Wagnis der Raumerforschung. Rovit glaubt, die literarische Vorherrschaft, die er von Irland und Österreich-Ungarn vor dem Ersten Weltkrieg nach Frankreich, dann nach Amerika, dann in den vierziger und fünfziger Jahren wieder zurück nach Frankreich glaubt verfolgen zu können, nun an Deutschland und die deutschsprachigen Nationen übergegangen sei. Den Titel seines Aufsatzes zieht der New Yorker Englischprofessor aus der Feststellung, das Grass'sche Werk sei ein unter die Haut gehendes Zeugnis, daß in allen von uns der Heilige Geist wie auch der Hund wohne. Einen bisher nicht beachteten Aspekt des Grass'schen Stils sieht er in seiner Verwandtschaft mit der Technik des Films:

> Grass's prose style (like Faulkner's) and his sense of narrative focus and structure seem to me to be essentially formed in terms of cinematographic techniques. He tends to dispense with the scene-as-tableau ...; instead, he presents an always fluid narrative picture. The focus is rarely static and the scene itself is never in arrest. The focus moves unpredictably through distance and time – a stark and grotesque close-up, an abrupt shift or cut, pan shot, fade-out, fade-in, a multiple montage, a blur, a hard statistical edge. The fixed iconography of symbol and image is blithely discarded for the cumulative arhythmical sweep of motion and density.

Eine brauchbare Einführung und Übersicht für den Hausgebrauch in Amerika gibt Michael Roloff in «Günter Grass» (1965). Eingeschaltet ist ein Interview des Verfassers mit Grass, in dem dieser anscheinend die Kritik ins Bockshorn jagen will. Zu Oskars glaszersingender Stimme sagt Grass (nach Roloff), sie könne als Analogie für die deutschen V-Waffen gegen England gesehen werden.

Francis L. Kunkel vergleicht in «Clowns and Saviors: Two Contemporary Novels» (1965) einige Clown-Erlösergestalten der Weltliteratur mit Mahlke und mit Alfried Wiedmann, der zentralen Figur aus Gabriel Fieldings *The Birthday King* (1963). Während er Alfried Wiedmann wie auch Dostojewskis Prinz Myshkin als echte Christusgestalten sieht, als Nachfolger von Jesus, die durch ihr Beispiel wiederum zur Nachfolge auffordern, glaubt er in Mahlke einen clownischen Antichrist zu sehen, einen falschen Erlöser und Imitator, der seine Jünger schließlich enttäuscht.

Das kleine Büchlein *Günter Grass* (1965) von Kurt Lothar Tank besteht zur Hälfte aus Primär- und Sekundärzitaten, die fast alle schlecht belegt und schlecht zitiert werden. (Klaus Wagenbachs «kunstvoller Stottertakt» wird zum Beispiel einmal korrekt und dreimal als «Stotterakt» zitiert – S. 67, 79 f. – die übrigen Zitate können nicht kontrolliert werden, denn es fehlen sowohl Fußnoten als auch Bibliographie.) Die zweite Hälfte der Monographie besteht aus Inhaltsangaben und einigen schüchternen Bemerkungen des Verfassers, der immer wieder vom «hohen Kunstverstand» des Günter Grass spricht, aber wenig zu dessen Durchleuchtung beiträgt. Von einigen interessanten Informationen über die Person Grass stellt sich bei nachträglichen Vergleichen heraus, daß sie (ohne Quellenangabe) aus dem *Spiegel*-Aufsatz über Grass vom 4. September 1963 übernommen wurden.

Von dem eminenten amerikanischen Kritiker Richard Kluger, selbst Autor mehrerer Romane, kommt eine höchst originelle, wortgewaltige Würdigung unter dem Titel «Tumultuous Indictment of Man» (Juni 1965), wahrscheinlich die treffendste und zugleich enthusiastischste Kritik von Grass im englischen Sprachraum. Kluger bespricht anscheinend nicht das Original, sondern die ausgezeichnete Übersetzung der *Hundejahre* von Ralph Manheim. Er schreibt von Grass' «torrential force» und vergleicht ihn mit Thomas Wolfe. Mit den sogenannten «black humorists» Amerikas hat Grass nach Kluger den Sinn für die Absurdität des modernen Menschen gemein, doch schreibt er besser als sie alle, besser als irgendein anderer lebender amerikanischer oder europäischer Romancier, Nabokov ausgenommen (nach Kluger). Der Verfasser spricht von der universellen Gültigkeit der von Grass behandelten Phänomene und nennt als das zentrale die Banalität des Bösen. Er erwähnt die Selbstverständlichkeit, mit der sich die Jekyll-Hyde-Verwandlung in den *Hundejahren* vollzieht, kennzeichnend für das potentielle Biest in jedem von uns ohne Rücksicht auf Nationalität. Einen neuen Ton literarischer Kritik schlägt Kluger an, wenn er schreibt:

> If I were assembling an orchestra of authors, I might put Henry James at violin, D. H. Lawrence at trumpet, Tolstoi at French horn, Scott Fitzgerald at saxophone, Saul Bellow at oboe, Norman Mailer at cymbals, J. D. Salinger at flute, and Günter Grass – Günter Grass would be my conductor. He would lead with the showy nervous energy of a Bernstein who knows all the parts, forwards and backwards, can play them fast or slow, *fortissimo* or *pianissimo*, and in a pinch – to keep the audience riveted – will flip over on his hands and lead with his feet. For the talent of Günter Grass is so prodigious that his only problem is learning how to

ration it... His command of words, moreover, is so complete – he walks them, makes them do nipups, trots them, gallops them, galvanizes them, absolutely atomizes them (by fission and fusion both) – that it must be called Joycean in its virtuosity (S. 110–112).

Kein geringerer als Kasimir Edschmid nennt Grass in seiner «Rede auf den Preisträger» (Büchner-Preis für Grass, Herbst 1965) einen «Autor unserer Zeit, mit der Wertung unserer Epoche präzis vertraut, mit ihrer besonderen Sprache ausgerüstet». Edschmid bekennt, er kenne seit Kriegsende und weiter zurück kein Buch, das wie *Die Blechtrommel* «mit solchem Elan, solcher Lässigkeit, mit fast peinlichem Instinkt für das Epische, mit gleich frischer Selbstverständlichkeit und solch unheimlicher Raffinesse durch einen großzügig infernalischen Einfall, diese Kriegs- und Nachkriegswelt darzustellen weiß, ohne, das ist wichtig, von dem Krieg zentral mehr Aufsehen zu machen, als von irgendeiner anderen, im Grunde banalen oder elementaren Sache». Er spricht bewundernd von dem Stoff des Werkes als einer riesigen Addition, einem «fast kubistischen Gefüge», in das Grass durch dynamisches Tempo ins Dramatische vordringt und das roh Addierte durch Kunst reguliert. Kritisch ablehnend äußert sich Edschmid über das «Jesus»-Kapitel der *Blechtrommel* sowie die darin enthaltenen Bemerkungen über den 20. Juli. Als Ganzes gesehen stellt Edschmids Rede eine warme Zustimmung einer führenden Gestalt der älteren Schriftstellergeneration für den großen, schöpferischen Menschen der neuen Generation dar.

Mit Symbolen, Metaphern und Mythen versucht Erhard M. Friedrichsmeyer in «Aspects of myth, parody, and obscenity in Grass' *Die Blechtrommel* and *Katz und Maus*» (Herbst 1965) den Dichter dieser Werke festzulegen. Friedrichsmeyer versäumt es nicht, seinem Aufsatz mit Jung- und Kerényi-Zitaten Gewicht und einen wissenschaftlichen Anstrich zu geben. Oskar Matzerath wird als mythisches göttliches Kind gesehen, von Grass nach dem Jung-Kerényi-Artikel «Das göttliche Kind in mythologischer und psychologischer Beleuchtung» gezeugt. Die Trommel Oskars wird analog zu den Leiern von Hermes und Dionysos gesehen, Oskar wird mit Baldur und Siegfried verglichen. Mahlke ist ein Erlöser, der versagt, die Karikatur eines Erlösers, der Anti-Erlöser. Die Masturbations-Szene auf dem gesunkenen Schiff wird ins Mythische transponiert, sie bedeutet jetzt «one of the starkest repudiations in literature of the hopes of man for a rebirth unto himself». Der aalwimmelnde Pferdekopf ist für Friedrichsmeyer Metapher für Oskars Mutter Agnes und ihr unwürdiges Triebleben. Fische und Aale (Aale sind Fische. W. J. S.) sind sexuelle Symbole, führt der Verfasser aus, Oskars Mutter wird also als Kadaver von innen verzehrt: «Seen in this perspective the horse's head ... is a metapher that simply cannot be denied cathartic value. It defines the situation of this woman with complete aptness. It states the hideousness of her behavior with unsurpassable authority.» Dem Romancier Grass wird damit Status und Rolle eines besseren Volkspredigers zugewiesen, der wie Abraham a Santa Clara mit Paradigma und Exemplum arbeitet.

In dem *Life*-Aufsatz «Green years for Grass» (1965) zeigt sich David E. Scherman voller Enthusiasmus für Grass, den er den größten Autor Deutschlands nach dem Krieg nennt. Seine Erläuterungen sind für das allgemeine amerikanische Publikum gedacht und wenig tiefschürfend angelegt.

Unter der zugkräftigen Überschrift «Guenther Grass: Notes on the Theology of the Absurd» (1965) verbirgt sich ein recht seichter, verwässerter Aufsatz von Sol Gittleman, in dem viel von Erlösern und vom modernen religiösen Erlebnis die Rede ist. Gittleman glaubt, Grass sei vor allem und zuallererst besorgt um die Menschheit und ihre schließliche Erlösung.

In seiner Besprechung der *Hundejahre* in *Literatur als Teilhabe* (1966) hat Günter Blöcker eine unerwartete Überraschung bereit: «Was *Die Blechtrommel* zum Ärgernis machte, waren ja nicht so sehr die Auswüchse der Grassschen Fäkalphantasie; es war das Verfehlen eines großen Themas.» Blöcker ist jetzt viel sachlicher, fast vorurteilslos. Er spricht über Grass' rare Fähigkeit, «der Sprache Augen und Ohren zu geben». Blöcker statiert korrekt, daß «Form bei Grass etwas vorwiegend Negatives ist, nämlich Akt der Verhütung, Notmaßnahme, künstliche Eindeichung eines Erzählens, von welchem ständig Überschwemmungsgefahr droht». Der Kritiker würdigt bei Grass das psychologische Detail, die Differenzierung der Dialoge, die Einfälle von «unvermuteter Zartheit», die «kompositorische Verwendung der Mundart», die Handlungsführung selbst. Blöcker spricht von «wahren Paradestücken poetischen Erinnerns» in den *Hunde-*

jahren und schreibt anerkennend: «Des Autors Empfänglichkeit für die Magie des Gegenständlichen ..., seine Gabe, jedes Ding mit unfehlbarem Griff zu packen, es nicht zu beschreiben, sondern schattenwerfend vor uns zu stellen, feiern Triumphe.» Wenn Blöcker trotz so vieler lobender Worte den Roman als gescheitert bezeichnet, glaubt er dieses Urteil wohl seiner albernen Fehde mit der Gruppe 47 schuldig zu sein, in deren Verlauf er in bezug auf die *Blechtrommel* von «geschickter Lanzierung» und «vorfabriziertem Sieg» durch eben diese von ihm zum Schreckgespenst dämonisierte Gruppe gesprochen hatte.

Eine grundlegende Würdigung des Grass'schen Werkes findet sich in dem Aufsatz «Günter Grass als politischer Autor» (1966) aus der Feder Hans Egon Holthusens. Mit nuancierter Ausdruckskraft wird hier das Wesentliche, das eigentlich «grassische» der Grass'schen Prosa herausgeschält. (Holthusen gebraucht dieses Adjektiv zweimal.) Das Neue am Phänomen Grass sieht Holthusen in der Tatsache, daß hier nicht ein verhinderter Dichter, sondern eine echte Künstlernatur die Mauer zwischen Literatur und Politik ignoriert und seine eigene Kunstausübung als politische Aufgabe betrachtet. Er schreibt:

> Wenn wir es hier mit einer eher mageren oder seichten Begabung zu tun hätten, mit einer, sagen wir, angeborenen Neigung zu Ressentiment oder Räsonnement, so könnte man vielleicht versucht sein, den politischen Eifer als eine Form von Kompensation für künstlerische Niederlagen zu deuten. Aber es handelt sich im Falle Grass um eine vollsaftige Künstlernatur von staunenerregender Vielseitigkeit, um einen Romanschreiber vor allem, dessen Vitalität aus allen Nähten platzt, um das wahrscheinlich bedeutendste Prosa-Talent, das seit 1945 in Deutschland aufgetaucht ist. Eine Sprache, die sich Bahn gebrochen hat wie ein Naturereignis, eruptiv, kataraktisch, unbändig souverän. Eine Einbildungskraft, die mit dem Riesenkomplex der Danzig-Saga ... einen epischen Kosmos in die Welt gesetzt hat, wie er in der deutschen Literatur seit Thomas Mann nicht mehr erlebt worden ist. Ein erzählerischer Elan, der das seit Jahrzehnten vor sich hinkränkelnde Problem der ‹Krise des Romans› wie mit einer Handbewegung beiseite schiebt, der die Kunst des Erzählens auf eine überzeugende und zeitgemäße Weise erneuert zu haben scheint, und zwar vom Sinnfällig-Ursprünglichen her, von der unerhörten Begebenheit, der aufregenden, ausgefallenen, eulenspiegelhaft komischen, münchhausenhaft unglaubhaften ‹Geschichte› her. Ein Fabulierer und Erfinder von rabelaisischem Schlag, dem es gegeben sein sollte, jene geistreich-abscheuliche Mißgeburt zu erzeugen, die von einer ganzen Generation von Lesern, deutschen, französischen, amerikanischen und was weiß ich noch für Lesern, als epochemachend, als sinnbild-

lich-vielsagende Zentralfigur akzeptiert worden ist, diesen trommelnden Zwerg, diesen Bastard aus Sinn und Unsinn, Real und Irreal, aus satirischem Witz und priapischem Lebensdrang: Oskar Matzerath. Wie kann ein Künstler, der so durch und durch Künstler ist, doch gleichzeitig ein so durch und durch politischer Mensch sein? Sollte man nicht denken, daß das Weltverstehen des Künstlers von dem des Politikers grundsätzlich verschieden ist? (S. 41).

Das ist die Fragestellung, die Holthusen behandelt. Er zeigt an Beispielen aus den drei epischen Werken, wie Grass Weltgeschichte künstlerisch verarbeitet, wie das Zeitalter «ganz da» ist. Er demonstriert, wie Grass die Wirklichkeit der Nazizeit nicht «faszinierend ruchlos», sondern grotesk wiederaufleben läßt, wie die Nazis nicht als dämonisch oder sensationell, sondern als «mies, schofel, mickrig, wildgewordene Wohnküche» gesehen werden (nach Enzensberger?). Holthusen spricht von den «wachen, bösen, entmythologisierenden Kinderaugen», mit denen die Welt gesehen wird, von der «durch Einbildungskraft wiederhergestellten Perspektive des Kindes gegenüber den Großen von damals: eine kalte, böse, vernichtende Unschuld» (S. 49). Er nennt das Grass'sche Werk eine erzählerische Aufarbeitung «jener aus persönlichen Erinnerungen, phantastischen Erfindungen und zeitgeschichtlicher Dokumentation zusammengebrauten Stoffmasse», die er mit dem Stichwort «Danzig-Saga» bezeichnet (nach Enzensberger?). Holthusen schreibt: «Dies von authentischen Kindheitserinnerungen genährte, vollkommen ungekünstelte, wiewohl von einem elementaren Kunstverstand gesegnete Erzählen hat mehr Überzeugungskraft als das romanhaft Ausgedachte, forciert Pointierte, mehr oder weniger geschickt Zurechtgefingerte ...» Kompetent und einfühlsam werden die Heidegger-Parodien der *Hundejahre* analysiert, in denen Holthusen noch «die vitale Pranke» und die «tolldreiste Erfindungskraft» bewundert. Er kommentiert und verteidigt die Grass'sche Parodie und die Parodie im allgemeinen:

Eine literarische Parodie ist nicht gleichbedeutend mit der Vernichtung des Parodierten, sie ist ‹Beigesang›, ist etwas Parasitäres, spielerisch Abgeleitetes, sie setzt ihren Gegenstand als Bedingung ihrer eigenen Lebensmöglichkeit voraus. So wenig etwa durch die Schiller- und Goethe-Parodien am Schluß von Brechts *Heiliger Johanna der Schlachthöfe* Goethe und Schiller zu erledigten Größen geworden sind, so wenig wird Heideggers Philosophie, die wir von seinen politischen Sünden unterscheiden müssen, durch Grass' Persiflage ‹widerlegt›. Die sprachliche Pantomime, die Grass unter Verwendung von heideggerscher Terminologie inszeniert, hat mit philosophischer Auseinandersetzung gar nichts zu tun. Es ist eine Erfindung, eine gedichtete, fast möchte man – in Ansehung von so vielen Unwahrscheinlichkeiten – sagen: eine geflunkerte Geschichte (S. 56).

Stanley Edgar Hyman schreibt in seinen *Standards* (1966), die *Blechtrommel* sei enttäuschend, abstoßend und langweilig: «I found *The Tin Drum*, despite some virtues, quite disappointing; much of it is repellent and, fatally, repellent in a boring fashing.» Der größte Fehler des Buches liegt für den amerikanischen Kritiker in der Bedeutungslosigkeit der Symbole: Oskars Trommel symbolisiert so viele Dinge, daß sie schließlich nichts mehr symbolisiert. Hyman seufzt: «It is all shapeless and random.» *Katz und Maus* findet er noch schlechter, noch enttäuschender als *Die Blechtrommel*. Und so weiter.

In «Gunter Grass le Vistulien» (1966) scheut der Franzose J. B. Neveux keine Anstrengung, um aus Grass einen Deutschenhasser, einen zweiten Clemenceau zu machen. Auf dreiundzwanzig Seiten hat dieser Kritiker auf rührende Weise alles zusammengetragen, was sich in Lyrik, Theater, Prosa und Wahlreden als Polemik gegen das «Altreich», gegen die Bundesrepublik, vor allem aber gegen das Deutsche an sich deuten läßt. Sogar Grass' Gebrauch des Dialekts wird als Demonstration der Feindschaft gegen das Deutschtum gedeutet, denn Danziger Dialekt ist nach Neveux kein Glied der deutschen Sprachfamilie, sondern «bien une langue à part, incompréhensible à ceux de l'Altreich». Die Liebe des Schriftstellers, nach Neveux, gilt den Kaschuben und den Polen: «Grass les observe avec une sympathie profonde, même quand ils font le mal, alors qu'il n'a qu'un mépris, parfois amusé, mais le plus souvent acerbe, pour les gens de l'Ouest, de l'Altreich.» Neveux unterscheidet zwischen kaschubisch-polnischer und deutscher Mittelmäßigkeit bei Grass: die erste ist liebens-, die zweite hassenswert. Obszönität am Ufer der Weichsel ist für den Kritiker fast natürlich und friedlich, Obszönität in der westdeutschen Welt des Günter Grass dagegen ist unflätig, zotig – «nettement ordurière». Sogar der Nazismus bei Grass hat nach Neveux noch etwas harmlos Kindliches, während «tout ce qui est allemand» den Romancier zu bitteren Wutausfällen reizt. Das treffende Symbol der Vereinigung Danzigs mit dem Altreich sieht Neveux bei Grass in dem Konzentrationslager Stutthof mit seinem riesigen Knochenberg. Grass schreibe in der deutschen Sprache, meint der Verfasser abschließend, doch er sei kein deutscher Schriftsteller.

In «A Pattern of Messianic Thought in Günter Grass' *Cat and Mouse*» (1966) zeigt Karl H. Ruhleder einige reizvolle Ansätze in dem Versuch, die Novelle entlang messianischen Gedankengängen zu deuten. Er verliert jedoch schnell den Boden unter den Füßen und sich selbst in wilden sektiererischen Wahrnehmungen von Christus- und Phallussymbolen auf Schritt und Tritt. Ruhleder glaubt zum Beispiel, der falsche Messias Mahlke versuche (in der Onanie-Episode auf dem gesunkenen Schiff) durch Verbindung seines Samens mit dem Wasser einen «kosmischen Organismus» zu schaffen. Mahlke wohnt in der Osterzeile: Für Ruhleder ist dies ein Hinweis auf die Auferstehung und auf Jesus' Worte an seine Jünger in Johannes 14:26–31. Bei seinem letzten Untertauchen hat Mahlke zwei Konservendosen, aber keinen Büchsenöffner bei sich: Ruhleder sieht hier Symbole für Hoden ohne Penis, was für ihn ein ausdrucksvolles Kastrationssymbol darstellt. Aufs Glatteis der Lächerlichkeit begibt sich der Autor endgültig, wenn er schreibt: «Other objects with symbolic implication are in Mahlke's room: a) a stuffed snow owl, the owl signifiying the rejection of Christ by the Jews, according to the *Physiologus,* b) a model of Hitler's yacht *Grille,* the grasshopper being a symbol of the conversion of nations to Christianity, and c) a butterfly collection, the butterfly symbolizing the Resurrection of Christ.»

Präzise und wissenschaftlich-gründlich ist der Aufsatz «The Grotesque Everyman in Günter Grass's *Die Blechtrommel*» (1966) des Amerikaners A. Leslie Willson. Der Verfasser untersucht das Problem Schuld–Unschuld in der *Blechtrommel* und bringt es in Zusammenhang mit Grass' Verwendung der Farben Rot (Schuld) und Weiß (Unschuld). Willson kommt zu folgender Schlußfolgerung: «In the last analysis Oskar is a grotesque Everyman longing for the white of innocence, fascinated by the red of evil, seeking deliverance from the universal presence of the black witch of guilt.» Obwohl seine Ausführungen durchaus kohärent und einleuchtend sind, fragt man sich am Ende, ob Willson nicht zeitweise blinden Motiven nachjagt, besonders da er wie viele andere Kritiker fasziniert zu sein scheint von der «Schwarzen Köchin».

Willy Schumann vergleicht in «Wiederkehr der Schelme» (Dez. 1966) Oskar Matzerath mit Thomas Manns Felix Krull und mit dem Helden von Albert Vigoleis Thelens *Die Insel des zweiten Gesichts*, daneben mit dem Pikaro der literarischen Tradition.

D. J. Enright entschuldigt sich in seinem *Conspirators and Poets* (1966) dafür, daß er seine (sehr negativen) Beobachtungen über *Katz und Maus* an einer Übersetzung des Werkes zu machen gezwungen war, und er hofft, daß er sich in diesen Beobachtungen geirrt hat. Seine Hoffnung hat ihn nicht betrogen, er hat an dem Buch vorbeigelesen. Er glaubt zum Beispiel, die Katze könnte womöglich Symbol für das gesunkene Schiff oder auch für den Autor selbst sein. Dann vergleicht er die Novelle mit geglückten schriftstellerischen Versuchen von Schülern einer «Creative Writing School». Auch der *Blechtrommel* gegenüber ist dieser Kritiker recht scharf und findet kaum etwas zu loben. Das äußerste Zugeständnis ist seine Feststellung, daß die *Blechtrommel* ungemein «lesbar» sei, sogar oder besonders wenn man Teile dabei überspringe. Völlig verworfen wird schließlich *Hundejahre*. Zweimal vergleicht der Verfasser Grass mit Heinrich Böll (S. 200, 207), jedesmal zum Nachteil des ersteren, was natürlich mehr über Enright als über Grass aussagt. In schöner Offenheit erklärt Enright schon in seiner Einleitung, daß manche seiner Essays kaum als literarische Kritik bezeichnet werden könnten. Im Grass-Aufsatz tritt er den zwingenden Beweis für diese Behauptung an. Er bringt hier mehr als bloße Polemik, er bringt Verleumdungen in ziemlich kruder Sprache. Enright bezichtigt unter anderem Grass, in den *Hundejahren* alte Rassentheorien aufleben zu lassen:

> But the associated idea, that the Jew *wants* to be beaten up – Amsel had always desired gold teeth instead of those drab natural things, and the forged passport obtained some weeks in advance of ‹the miracle in the snow› mentions as a distinguishing mark his ‹Artificial denture. Gold crowns› – this seems merely disgusting. Matern is forever grinding his teeth, he is known as the Grinder (the deep tortured Teutonic soul, Wagnerian percussion?), whereas Amsel throws his teeth away and is proud to be known as Goldmouth (the sophisticated, un-natural, gilt-edged Jew?). It seems merely a sick joke, a mere extension (if that) of an old racist theory (S. 204 f.).

Gut vertraut mit literarischer Theorie gibt sich Arrigo Subiotto in dem Aufsatz «Günter Grass» (1966), und er scheut auch nicht zurück vor eigener Aussage. Der Verfasser kontrastiert den «chosisme» des «nouveau roman», der den Gegenstand aus der emotionellen Bezogenheit des Menschen löst und Mensch wie Gegenstand isoliert, mit Grass' Liebe zum Gegenstand, die auf Herstellung einer emotionellen Beziehung zwischen Mensch und Ding zielt. Subiotto untersucht kurz die Rolle und das Wesen des Grotesken bei Grass, das er vor allem in Verzerrung der Perspektive und in Vermischung von disparaten Sphären sieht, und kommt dann mit einer großen Verteidigung des Obszönen bei Grass heraus:

> The obscene in Grass, as in Chaucer, Boccaccio, Rabelais and his German adaptor Fischart, is an expression of vitality, an enjoyment of experience, a closeness to the movement of life, the hurt of growth and the squalor of decay, ultimately a sensual contact with existence expressing itself structurally in a welter of words and descriptions ... In the total structure of a Grass work the obscene, parallel with other appetites from cooking to card-playing, fits into the overall dialectic of national events and individual lives, social and political criticism and personal amorality, and in this sense it has a patterning function (S. 227).

In einem Vergleich zwischen *Doktor Faustus* und der *Blechtrommel* kommt Subiotto zu dem Schluß, daß bei Thomas Mann der Nazismus auf einer Basis von absoluten Werten untersucht und verdammt wird, während Grass sowohl das «Dritte Reich» als auch die Nachkriegsgesellschaft lediglich in Frage stellt, ohne von einem fixierten Wertsystem zur klaren Verwerfung oder zum endgültigen Urteil zu schreiten. Der sachliche, kompetente und aufschlußreiche Aufsatz schließt mit der geglückten Formulierung über Grass als einen Autor «non-engaged doctrinally but committed to life».

Die Grass-Kritiken aus dem sozialistischen Lager bewegen sich alle mehr oder weniger auf dem gleichen Niveau. Irina Mletschina lobt Grass in «Tertium non datur» (1966), daß er die «schrecklichen Geschwüre» der heutigen bürgerlichen Gesellschaft, nämlich Faschismus und Militarismus, satirisch bloßstellt, doch tadelt sie ihn dafür, daß ihm der Klassencharakter solcher Erscheinungen wie des Faschismus «ein Buch mit sieben Siegeln» geblieben ist. Sie freut sich, daß Grass das Wirtschaftswunder verspottet, findet es aber schade, daß er die DDR verleumdet und den Sozialismus kritisiert. Sie fordert Grass auf, eine klar umrissene Position einzunehmen: «Der Künstler hat heute nur zwei Wege vor sich, entweder mit den Dunkelmännern zu gehen, die die Welt in einen neuen Krieg stürzen wollen, oder sich denen anzuschließen, die die Menschheit auf den Weg des Friedens, der Freiheit und des Fortschritts führen.»

Karl August Horst schreibt in «Grass, Günter» (1967) über die Rolle der Magie bei Grass, welcher er die geheimnisvolle Macht über unsere Phantasie von Gestalten wie Oskar und Tulla zuschreibt. Die Blechtrommel ist für ihn ein magisches Instrument, Tullas Hundehütte eine magische Höhle. Er nennt eine Reihe von «Abwandlungen ehemals magischer Motive: die Fähigkeit, nach Belieben zu schrumpfen oder zu wachsen, die telekinetischen Fähigkeiten Oskars als Glasschneider und Trommler, den Analogiezauber, demzufolge mit Brausepulver in der Handmuschel erotische Wallungen produziert werden, die Schwarze Messe als magisches Gegenbild der Heiligen Messe, die schwarzen Figurenzeichnungen von Zigeunern in Düsseldorf, die Schwarze Köchin, der abgehackte Finger, die Röcke der Großmutter als Welthöhle usw». Horst nennt den Grass'schen Realismus «magisch»: Fast in jedem Kapitel sei die Aufmerksamkeit brennglasartig auf einen Punkt, auf ein magisches Kraftzentrum gerichtet. In den *Plebejern* sieht der Kritiker ein Stück über «Macht und Ohnmacht künstlerischer Magie», das Versagen des «Chefs» ist für ihn ein Versagen magischer Potenz. Horsts Ausführungen sind plausibel, obwohl er zur Beweisführung ein Grass-Zitat bringt, das sie eher entkräftet. Er schreibt: «Grass lehnt jede Zweiteilung der Welt ab: ‹Immer lehne ich es ab›, sagt er im Gedichtband *Gleisdreieck,* ‹von einer schattenlosen Idee meinen schattenwerfenden Körper verletzen zu lassen›.» Magie ist aber doch schon Zweiteilung der Welt, ob es sich nun um germanischen Jagdzauber oder um den magischen Realismus von Ernst Jünger oder der Langgässer handelt.

Als imposante philologische Literaturkritik gibt sich auf den ersten Blick der Aufsatz von Heinz Fischer «Sprachliche Tendenzen bei Heinrich Böll und Günter Grass» (1967). Bei näherem Zusehen zeigt sich jedoch, daß sich die ganze Arbeit in einem Satz zusammenfassen läßt: «Heinrich Böll und Günter Grass haben in ihren Werken versucht, die deutsche Sprache von Naziklischees zu reinigen sowie die Primitivschichten der Sprache literarisch zu integrieren.» Diese Wahrheit, die auf der Straße liegen dürfte, wird in vielen Variationen wiederholt und mit Beispielen belegt. Man vermißt den Mut des Verfassers zur eigenen Aussage. Wo man eine erwartet, steht ein Zitat: Für einen Text von acht Seiten bringt Fischer dreiunddreißig Fußnoten, vier Seiten Fußnoten. Im übrigen übersieht er, daß die «literarische Integration der Primitivschichten» der deutschen Sprache weder eine Böllsche noch eine Grass'sche Erfindung ist (was nichts gegen Böll oder Grass sagt), daß sie von Döblin und anderen fleißig betrieben wurde, ehe Grass lesen konnte. Fischer übersieht außerdem, daß das, was er als seine Entdeckung ausgibt, nämlich die Vermeidung oder parodistische Verwendung von Naziklischees bei Böll und Grass, eine seit 1945 wie auf Vereinbarung praktizierte Gepflogenheit der meisten deutschen Schriftsteller ist.

Henry Hatfield betrachtet in seinem Aufsatz «Günter Grass: The Artist as Satirist» (1967) die Romane in erster Linie als Satire und untersucht sie vom Gesichtspunkt von Mythos, Folklore und Literatur. Er zeigt, daß Oskar in fast allen Eigenschaften dem Zwerg in Aberglauben und Legende entspricht. Hatfield stellt Vergleiche auf zwischen Oskar einerseits und Apollo-Dionysos andererseits, wie sich ja Oskar selbst einmal zu beiden Göttern gleichzeitig bekennt. Oskars Neigung zu Zerstörungen sieht der Verfasser als vorwiegend apollinische Charakteristik, während er Oskars Trommelwut, die Nazikundgebungen scheitern läßt und die Menschen mit Jazzrhythmen aufpeitscht, dionysisch deutet. Hatfield vergleicht Oskar ebenfalls mit Hermes, dem Gott der Schelme und Diebe. Danach zeigt er eine Reihe für ihn symbolischer Bilder auf, wobei er sich nicht wie manch anderer Kritiker im Phantastischen verliert: Die hohle Nazitribüne, das Kartenhaus in der polnischen Post, Oskars Lektüre (Goethe und Rasputin), das absurde Minidrama am Atlantikwall vor der Invasion, das eine kommende Biedermeierzeit voraussagt. *Katz und Maus* ist für Hatfield eine moralische Parabel: Als Mahlke schließlich das Ritterkreuz angeblich wegwirft, sagt er einem falschen Leben ab und «rettet seine Seele» – («By so doing he saves his soul», schreibt Hatfield. – Hier irrt der Kritiker: Nirgends in der Novelle heißt es, Mahlke habe die Auszeichnung weggeworfen.) Hatfield macht etwas zuviel Aufhebens mit seinen «Symbolen». Die normalen, gehorsamen Deutschen in *Hundejahre* werden für ihn von Hunden symbolisiert, während die Vogelscheuchen für ihn Symbole für die Nazis, für die Ungeheuer sind. (Wenn schon Symbole, warum dann nicht umgekehrt: Nazis als Hunde und Deutsche als Vogelscheuchen? Nirgends hat Grass einen Nazi als Ungeheuer dargestellt, eher als muffigen Kleinbürger. Bei Grass eine Unterscheidung zwischen Deutschem und Nazi zu machen, ist sehr fragwürdig: im ersten ist der zweite potentiell enthalten.) Hatfield hält Grass für ausreichend begabt, um der Balzac oder Dickens von Danzig zu werden; einschränkend sagt er gleich darauf, Danzig sei nicht Paris oder London. (Hier könnte man Hatfield ebenso naiv entgegnen, Paris und London seien nicht Danzig – das Schicksal der ehemaligen Hansestadt finde keine Parallele in Frankreich oder England.) Der Harvard-Professor verweist noch auf den Rhythmus einiger Passagen der *Hundejahre*, mit denen so etwas wie ein Beschwörungseffekt aufgebaut werde: «Und die Weichsel fließt, und die Mühle mahlt» usw. (*Hundejahre*, S. 67). Den Romancier Günter Grass nennt Hatfield den «größten Satiriker seiner Generation». Die Abhandlung erscheint ausgewogen, wenn auch eine Reihe voreiliger Behauptungen aufgestellt werden: Grass sei Hitlerjunge geworden, zweifelsohne gegen seinen Willen («no doubt unwillingly»). Wieso gegen seinen Willen? Traut Hatfield dem vierzehnjährigen Grass eine größere politische Urteilsfähigkeit zu als etwa Papen, Schacht und Hindenburg? Oder will er ihn vor amerikanischen Lesern entschuldigen, reinwaschen? Von Harry Liebenau heißt es, er verehre den «Führer», noch an Führers letztem Geburtstag glaubt er an ihn, und Harry ist ein Apfel vom Stamm Grass. Es ist doch schon sehr schön, wenn Leute wie Heinrich Böll den ganzen Krieg als Antifaschisten mitgekämpft haben, gegen ihren Willen gewissermaßen, aber muß man gleich allen deutschen Schriftstellern solch eine fleckenfreie Vergangenheit unterschieben?

Als modernen Pikaro bezeichnet Wilfried van der Will in seinem Buch *Pikaro heute* (1967) den Blechtrommler Oskar, und er vergleicht ihn mit dem Pikaro der literarischen Tradition.

Paul Konrad Kurz gelingt es in seinem Buch *Über moderne Literatur* (1967), achtzehn Seiten über Grass zu schreiben, ohne etwas zu sagen: auch ein Rekord!

Als anspruchslose Einführung zu Günter Grass für den amerikanischen Leser präsentiert sich die achtundvierzig Seiten lange Schrift *Günter Grass. A Critical Essay* (1967) von Norris W. Yates. Um so erfreulicher ist es, wenn der Autor neben seiner allgemeinen Übersicht einige recht hilfreiche Fingerzeige aus betont christlicher Perspektive zum Verständnis von Grass gibt. Yates sieht Grass als «yea-sayer of modern fiction» (S. 6), als positiven, lebensbejahenden

Schriftsteller, nennt ihn später allerdings einen gemäßigten Skeptiker und Pessimisten (S. 44). Meines Wissens ist Yates der erste Kritiker, der den trommelnden Oskar mit Oskar ohne Trommel vergleicht und interessante Schlüsse zieht. Er sieht hier den isolierten Künstler konfrontiert mit dem lebenden, wachsenden Menschen: «Like the artist everywhere in our time, Oskar must maintain his integrity by means of an isolation that paradoxically dries up the humanity necessary for meaningful creativeness» (S. 28). Yates bezeichnet Amsel und Matern als zwei Hälften eines Charakters, nämlich des deutschen, und das Paar Tulla und Jenny sind für ihn ebenfalls parallele, sich ergänzende Gestalten. Wohltuend in dieser Arbeit empfindet man Ausdrücke wie «possibly significant», mit denen der Autor den Anspruch auf letzte, endgültige Grass-Interpretation von sich weist.

A. F. Bance versucht in «The enigma of Oskar in Grass's *Blechtrommel*» (Herbst 1967) das Rätsel von Oskar und von Oskars Trommel zu lösen. Daß er versagt, ist nicht seine Schuld, denn manche Rätsel bleiben nun einmal unlösbar. Bance zieht Parallelen zwischen dem Schicksal Deutschlands und dem Schicksal Oskars, zwischen Oskars «Spieltrieb» und dem Spielinstinkt, der Deutschland dem Nationalsozialismus zur Beute werden ließ und den Bance ebenfalls als «Spieltrieb» bezeichnet. Die Verwendung eines solchen durch literarische Tradition belasteten Terminus für ein komplexes politisches Phänomen bleibt problematisch. Bance versäumt es zudem, den Oskar mit Trommel mit dem Oskar ohne Trommel zu vergleichen, was ihn nicht unbedingt ans Ziel geführt, ihn aber zumindest vor einigen Verirrungen bewahrt hätte.

Der Aufsatz «Günter Grass» in «*The German Novel and the Affluent Society*» (1968) von R. Hinton Thomas und Wilfried van der Will stammt von sehr belesenen Kritikern. Die Verfasser führen das Aufleben des pikarischen Romans während der vergangenen Jahre auf den Einfluß der *Blechtrommel* zurück. Sie nennen Paul Pörtners *Tobias Immergrün* (1962), Heinz Küppers *Simplicius 45* (1963), Martin-Beheim Schwarzbachs *Die diebischen Freuden des Herrn von Bißwange* (1964), Gerhard Ludwigs *Tausendjahrfeier* (1965), Helmut Putz' *Die Abenteuer des braven Kommunisten Schweyk* (1965) und Gerhard Zwerenz' *Casanova oder der kleine Herr im Krieg und Frie-*

den (1966) als Werke, die aller Wahrscheinlichkeit nach unter dem Einfluß der *Blechtrommel* geschrieben wurden, und sie zitieren ein Gedicht aus Walter Mehrings *Der Zeitpuls fliegt* (1958) als kennzeichnend für diese pikareske Renaissance.

Leonhard Forster gibt in «Günter Grass» (Okt. 1968) eine allgemeine Einführung in das Erzählwerk. Der Aufsatz ist anscheinend aus einem Vortrag hervorgegangen und setzt des Lesers oder Hörers Unkenntnis mit dem Werk voraus. Forster irrt sich, wenn er August Pokriefke als Besitzer von Harras nennt; er verfolgt diesen Punkt nicht weiter, was unweigerlich eine schiefe Perspektive ergeben hätte. Am Ende seines Überblicks erklärt Forster Grass zu einem christlichen Autor, der in seinen Büchern die «unerlöste Menschheit» porträtiere. Im Aufzeigen von Aspekten dieser unerlösten Menschheit sieht der englische Professor auch den Grund für Grass' sogenannte Pornographie.

Anhang: Theater und Lyrik

Im Rahmen seines Werkes *The Theatre of the Absurd* (1961) gibt Martin Esslin nur eine kurze Übersicht über die Theaterstücke von Grass, die er positiv bewertet.

Völlig ablehnend urteilt Marianne Kesting in ihrem *Panorama des zeitgenössischen Theaters* (1962) über die Grass'schen Bühnenstücke. Sie vermißt die soziologische Bezogenheit und sieht nur unverbindliche Possen:

> Es ist bezeichnend für die Vertreter des deutschen absurden Theaters, zu denen man auch Günter Grass zählen muß, daß sie gerade die soziologische Treffsicherheit vermissen lassen. Sie bedienen sich der von den französischen Absurdisten angewandten Mittel nicht zur sozialen Analyse, sondern treiben damit ein mehr oder weniger amüsantes Spiel; sie operieren mit blanken szenischen Einfällen, mit überraschenden Bildwirkungen auf der Bühne, die aber nicht viel besagen und offenbar auch nicht viel besagen sollen. Die ganze Welt erscheint ihnen absurd, und sie lassen das Publikum darüber im unklaren, welche Welt absurd und wieso sie absurd sei.
>
> Nicht anders als Ionesco ist es Günter Grass in all seinen Stücken um das Ungewöhnlichmachen gewohnter Vorstellungen zu tun. In den zunächst reibungslos ablaufenden Mechanismus des Bühnengeschehens wird der Schock eingebaut, das Gewöhnliche wird ungewöhnlich und damit einsehbar

gemacht. Die Einsichten indes, die Grass' Stücke gewähren, sind recht unterschiedlicher Qualität ... ‹Abgründe dort sehen zu lehren, wo Gemeinplätze sind›, forderte Kraus. Ionesco analysierte präzise, welche Abgründe sich hinter welchen Gemeinplätzen auftun, und trug so, auf seine Weise, zur Soziologie der zeitgenössischen Welt bei. Grass sieht keine Abgründe, wo Gemeinplätze sind. Hinter dem Aufwand seiner absurden Szenerie lauert – die Banalität (S. 254 f.).

In einer einfühlsamen, abgewogenen Studie «Zwei Gedichte oder eines?» (1963) vergleicht Ingo Seidler das Rilke-Gedicht «Ernste Stunde» mit dem «Kinderlied» («Wer lacht hier, hat gelacht?») von Günter Grass. Der Verfasser zeigt ein entwickeltes Gefühl für die feinen Nuancen der Sprache und trägt sein Scherflein zum Verständnis der beiden Gedichte bei, wobei er seine Erkenntnisse vorsichtig und unaufdringlich formuliert. Im ersten Gedicht sieht er vor allem Feinfühligkeit, Verletzbarkeit und Verantwortungsbewußtsein des Dichters für die sinnlosen Aspekte menschlichen Handelns. Der Verfasser des zweiten Gedichts dagegen läßt für Seidler hinter ähnlichem Vokabular eine moderne Diktatur in einer Krisenzeit, wahrscheinlich Nazideutschland, entstehen.

Die bislang umfassendste und einleuchtendste Deutung eines Grass'schen Theaterstückes hat Peter Spycher in «*Die bösen Köche* von Günter Grass – ein absurdes Drama?» (1966) unternommen. Spycher ist nicht nur im Drama, sondern auch in der Prosa und der Lyrik von Grass bewandert, und er nutzt seine Kenntnisse in der einen Gattung, um schwierige Fragen in der anderen zu klären. Er zeigt ziemlich überzeugend, daß das sogenannte absurde Stück eine sinnvolle Handlung enthält, die er etwa wie folgt interpretiert: Herbert Schymanski und «der Graf» sind Namen für die beiden Aspekte der Hauptfigur, nämlich Bürger und Dichter. Diese Hauptfigur besitzt das Rezept einer grauen Suppe, nämlich der Dichtkunst, das ihm die bösen Köche, nämlich Literaten und Verfasser von Laborgedichten, abjagen wollen. Der Graf will und kann das Rezept der Suppe nicht verraten, denn es ist eher eine Erfahrung und ein lebendiges Wissen, das bei seinem Selbstmord mit ihm stirbt. Spycher glaubt, die verschiedenen Gestalten trügen sprechende Namen, und er kann seine Hypothese glaubhaft untermauern. Er erwähnt zum Beispiel, daß der Graf bei der Uraufführung von einem Darsteller in Grass-Maske gespielt wurde, daß Graf wie Grass klingt, daß das Substantiv «Graf» im Stück stark statt schwach dekliniert wird, und daß das Namenpaar Schymanski-Graf etwas mit der deutsch-polnischen Herkunft von Grass zu tun haben könnte. Angenehm beeindrucken die vorsichtigen, abwägenden Formulierungen des Verfassers und mehr noch die wissenschaftlich-exakte Genauigkeit, mit der unscheinbare Ausdrücke wie «angenommenes Ziel» in verschiedenen Werken von Grass aufgegriffen und miteinander in Verbindung gebracht werden. Spycher kommt zu der folgenden Schlußfolgerung: «*Die bösen Köche* sind eine Art allegorische Parabel, oder auch ein Märchen, oder vielleicht besser: ein ‹Anti-Märchen›, da es im Stück zwar märchenhaft zugeht, aber auf ein unmärchenhaftes Ende hinausläuft.» Der Aufsatz von Spycher ist ein wertvoller Schlüssel nicht nur für *Die bösen Köche*, sondern für das Grass'sche Gesamtwerk.

Kommunistische Polemik primitivster Art ist die von André Müller unter dem Titel «Ein Anti-Grass-Stück» (1966) verfaßte Kritik von *Die Plebejer proben den Aufstand.*

In seinem Aufsatz «Autopsy of an Insurrection» (1966) bezeichnet Vittorio Brunelli *Die Plebejer proben den Aufstand* als ein intellektuelles Ereignis im wahrsten Sinne des Wortes. Er sieht in dem «Chef» des Stückes nicht Brecht als Person, sondern Brecht als den deutschen Intellektuellen. Grass glaube an das deutsche Schicksal («the German destiny»), meint Brunelli, und er fährt erläuternd fort: «German destiny also means to endure Hitler and to help him, to be incapable of revolt, even the most modest and painless.»

Nach vielen anerkennenden Worten über das erzählerische Werk äußert sich Holthusen in «Günter Grass als politischer Autor» (1966) ziemlich negativ über die dramatischen Versuche Grass' und geht besonders auf *Die Plebejer proben den Aufstand* ein. Er nennt es einen Fall «gehaltvollen Mißlingens», erkennt aber an, daß Grass als erster die moralische Zweideutigkeit des antifaschistischen Idols Brecht mit soviel Nachdruck und Prestige anprangert. Über das Mißlingen des Dramas schreibt er:

> Der entscheidende Defekt des Stückes liegt aber nicht einmal im Dialog, sondern im Stoff, genauer: in dem, was Brecht den ‹Plott› zu nennen liebte. Die *Plebejer* sind spannungslos, fast langweilig, weil sie wesentlich undramatisch sind. Vier Akte lang sieht man einen unentschiedenen, nicht-

handelnden, einen zaudernden, widerwilligen, halbherzig diskutierenden, dozierenden, witzelnden, nur augenblicksweise einmal ergriffenen und schließlich resignierenden Chef auf der Bühne stehen, während das eigentliche, das historische ‹Drama› des 17. Juni, vom Autor nicht gestaltet, hinter den Kulissen bleibt und nur in ‹Botenberichten› seine Reflexe auf die Szene wirft. Um etwas dramatische Bewegung vorzutäuschen, läßt der Autor von Zeit zu Zeit etwas gewaltsam Aufgepfropftes auf der Bühne passieren. Ein Stalinbild wird demontiert; einmal machen die Arbeiter Anstalten, den Chef und seinen Assistenten als Verräter aufzuhängen: ein unwahrscheinlicher, ganz linkisch konstruierter Knalleffekt, ein unpassendes Zitat aus der Dreigroschenoper, gekoppelt mit einem womöglich noch unpassenderen aus Shakespeares *Coriolanus*, denn um sich und den Chef aus der Schlinge wieder herauszureden, kommt Erwin, der Assistent, auf die Idee, jene Parabel von der Rebellion der Glieder gegen den Bauch, mit der Coriolans Freund Menenius die römischen Plebejer beruhigen will, zu erzählen – vor Berliner Bauarbeitern von 1953, die sich durch ein so feudales Vokabular doch eigentlich eher ‹verschaukelt› als belehrt fühlen müßten. So kommt ein Mißgriff zum anderen (S. 64 f.).

Einen prägnanten Überblick über «Lyrik und Graphik von Günter Grass» (1966) gibt Adolph Wegener, und besonders über Grass' Zeichnungen findet er kluge, würdigende Worte:

> Bei all seinen Bildern ist das Gegenständliche kubistisch facettiert, genau und scharf beobachtet, aber das Gesehene wird einem strengen, sensiblen Ordnungsprinzip unterworfen und als entmaterialisierte Wirklichkeitsform dem Organismus des Bildes eingeschmolzen. Fragmentarisches und Tierisches wird aus seiner ihm eigenen Ordnung herausgerissen, in die Sphäre des Erschreckens gehoben und dadurch dem Wirklichkeitsbereich des Magischen nahegerückt. Ein mit kluger Präzision erdachtes Liniengerüst von feinster Ausgewogenheit, das in seinen Gleichgewichtsverhältnissen an Klee gemahnt, bildet den Rahmen seiner schwebenden Vision. Das dünne Gerüst aus durchlaufenden und punktierten Linien, die sich in spitzen Winkeln über die Fläche verteilen, die den Gegenstand eingrenzen und ihn zugleich in den grenzenlosen Raum projezieren, erweist sich als durchlässig, als transparent für etwas außerhalb des Dargestellten, das aus der Ferne oder aus der Nähe in das Bild hineinströmt. Aus der Kenntnis des französischen Impressionismus entwickelt Grass eine Strichführung der Zerfaserung und ständiger Brechung, mit der er die Bösartigkeit der Ding- und Menschenwelt und das Beklemmend-Imaginäre des Raumes auf eindringliche Weise gestaltet.

In «Günter Grass und der 17. Juni» (1966) vergleicht Hans Schwab-Felisch *Die Plebejer proben den Aufstand* mit den tatsächlichen Ereignissen des 17. Juni und bemerkt, daß Grass ein Drama voller Unzulänglichkeiten geschrieben habe, dessen Sprache und Ausdruckskraft jedoch zum stärksten gehöre, was die deutsche Nachkriegsliteratur hervorgebracht habe.

Manfred Triesch ist in der wenig beneidenswerten Lage, in seiner Theaterkritik «Günter Grass: *Die Plebejer proben den Aufstand*» (1966) auf falsche Fakten, auf nicht-existente Tatsachen aufgebaut zu haben. Der zentrale Punkt in Grass' Stück ist für Triesch Brechts Inszenierung des *Coriolanus* zur Zeit des Aufstands vom 17. Juni, was Triesch als historisch wahr würdigt. Daneben behauptet er, daß Grass das überstürzte Ende dieser Inszenierung, vorzeitig herbeigeführt durch den Aufstand, historisch wahrheitsgetreu wiedergebe. Beide Angaben stimmen nicht: Brecht probte während des Aufstands nicht *Coriolanus*, sondern Strittmatters *Katzgraben*, und er setzte die Proben während des Aufstands ohne Unterbrechung fort. Triesch irrt nochmals mit der Behauptung, Grass verurteile Brecht unnachsichtig, weil dieser sich im Interesse seines Theaters an das Regime verkauft habe. (Eine viel schärfere, doch in jeder Hinsicht korrektere und gerechtere Kritik der *Plebejer* hat Hans Egon Holthusen geschrieben.) Sowohl Lob als auch Tadel von Triesch entbehrt also jeder Grundlage. Anschließend kritisiert Triesch das Stück mit Recht wegen des Fehlens einer überzeugenden, dem Dialog angepaßten Bühnenhandlung.

Edith Oliver glaubt in «Bravo pour le Clown» (Febr. 1967), einer amerikanischen Theaterkritik der *Bösen Köche*, nichts in dem Stück scheine etwas zu *sein*, alles scheine etwas anderes zu *bedeuten*. Wovon das Stück handelt, kann sie nicht sagen: «... I found much of it very puzzling indeed.»

In «Spoiling the Broth» (Febr. 1967) schreibt Richard Gilman recht kritisch über eine amerikanische Aufführung der *Bösen Köche*. Er glaubt, das Stück schwanke wie das übrige Werk Grass' unter einer schweren Ladung von halbverdautem Material, es sei nur eine Idee, aufgeblasen, um wie eine Vision auszusehen.

Martin Esslin, der Deuter des absurden Dramas, setzt sich in einer «Introduction» zur amerikanischen Ausgabe (1967) von Grass' Theaterstücken für den Dramatiker Grass ein. Esslin sieht gesellschaftskritische Stellungnahme in allen «absurden» Stücken von Grass. In

Hochwasser glaubt er eine Warnung gegen die moderne Sehnsucht nach Kameradschaft und schwerer Zeit zu sehen. Von dem Mörder und den mörderischen Jugendlichen in *Onkel, Onkel* zieht er Beziehungen zu den beiden Generationen im heutigen Deutschland. In *Die bösen Köche* sieht er eine Darstellung von Intrigen und Machtkämpfen in der Gesellschaft. *Noch zehn Minuten bis Buffalo* ist für ihn ein Angriff gegen die Illusion und eine Forderung nach realistischer Einstellung gegenüber der zeitgenössischen Welt. Esslin glaubt keinen Unterschied zwischen dem Autor von scheinbar absurden Bühnenstücken und dem unermüdlichen Wahlredner für die SPD erkennen zu können.

Völlig perplex gibt sich William James Smith in seiner Theaterkritik (1967) von *Die bösen Köche.* Nach mehreren Deutungsversuchen, die er selbst gleich wieder als unzulänglich verwirft, kommt er schließlich auf eine Kafka-Analogie als mögliche Lösung: wie bei Kafka könnte es sich hier um eine Traumallegorie handeln, die Echos im Unterbewußtsein findet. Smith fährt aber fort, bei Kafka könne man sich auch in heilloser Verwirrung noch mit K. identifizieren, während man bei Grass nur heillose Verwirrung, möglicherweise noch Langeweile habe.

Über den grünen Klee lobt Philip French *Die Plebejer proben den Aufstand* in «Gone to Grass» (16. Dez. 1968). Er nennt es ein ausgezeichnetes «multi-level drama», dessen Ideen mit Einbildungskraft und Intelligenz aufgerollt würden.

In «Grass on Brecht» (Sept. 1968), der Kritik einer amerikanischen Aufführung der *Plebejer,* nimmt Henry Hewes grundsätzlich eine positive Stellung ein, doch glaubt er, das Stück sei zu kompliziert für ein mit Brecht, ostdeutscher Geschichte und zwei *Coriolanus*-Stücken nicht vertrautes Publikum.

VI

Zusammenfassung

Man hat viele literarische Vorbilder von Grass genannt – Grimmelshausen, Sterne, Rabelais, Jean Paul –, Grass nennt als seinen Lehrer Alfred Döblin. Aus seinem Aufsatz «Über meinen Lehrer Döblin» läßt sich herauslesen, daß er nicht nur das erzählerische Werk, sondern auch die theoretischen Schriften Döblins aufmerksam analysiert hat. Nicht ohne Grund zitiert er aus Döblins «Bemerkungen zum Roman» die folgenden Sätze: «Vereinfachen, zurechtschlagen und -schneiden auf Handlung ist nicht Sache des Epikers. Im Roman heißt es schichten, häufen, wälzen, schieben; im Drama, dem jetzigen, auf die Handlung hin verarmten, handlungsverbohrten: ‹voran!› Vorwärts ist niemals die Parole des Romans.» Haben wir nicht hier in der Nußschale die Poetik der Grass'schen Romane, geschrieben zehn Jahre bevor Grass geboren wurde? Die Geschichte ist die unerschöpfliche Quelle für den literarischen Schöpfungsprozeß, für Döblin sowohl als auch für Grass, doch bedeutet Geschichte für diese beiden Autoren etwas anderes als für Schiller. Wo für Schiller Bezüge und ein Sinn existieren, besteht für Döblin und für Grass eine «Vielzahl widersinniger und gleichzeitiger Abläufe». Grass zögert nicht, seinem Vorläufer einen warmen Tribut zu zollen: «Deshalb sei es dem Vortragenden erlaubt, Mann, Brecht und Kafka, bei aller schattenwerfenden und oft angeführten Größe, respektvoll beiseite zu lassen und als Schüler dem Lehrer dankbar zu sein: Denn ich verdanke Alfred Döblin viel, mehr noch, ich könnte mir meine Prosa ohne die futuristische Komponente seiner Arbeit ... nicht vorstellen.»

In dem Interview mit Richard Kirn erklärte Günter Grass, Herman Melville habe ihn mit seiner Sucht zum Gegenstand, mit seinem *Moby Dick* entscheidend beeinflußt. Grass' Werk ist bestimmt nicht von einer Idee oder von Ideen, sondern vom Gegenständlichen, von Dingen, Menschen, Handlungen, von der Erotik. In dem Gedicht «Diana – oder die Gegenstände» schreibt Grass: «Immer lehnte ich ab / von einer schattenlosen Idee / meinen schattenwerfenden Körper verletzen zu lassen.» Jeder Idealismus ist seinen Helden a priori verdächtig, während das sinnliche, abenteuerliche Leben von ihnen akzeptiert wird. Oskar bekennt, daß er zeitlebens zwischen Goethe und Rasputin geschwankt habe, daß er sich jedoch «zeitweilig mehr dem Rasputin zugehörig» betrachte, während er auf den Idealisten Schiller «und Konsorten» pfeift. Und was sieht Oskar vor allem in Goethe und in Rasputin? Der eine ist für ihn der im Leben stehende Dichterfürst, der sich so gern von Frauen bannen ließ, der andere ist der Düstere, der die Frauen bannte. Nicht die geistigen Aspekte der beiden Gestalten werden also hervorgehoben, sondern das Blutvolle, Lebendige, Erotische. Anstelle der traditionellen Vergeistigung und Abstrahierung des Gegenständlichen und Lebendigen treffen wir bei Grass das gegenständlich gemachte traditionell Abstrakte, Geistige. In dem oben zitierten «Diana»-Gedicht spricht der Dichter von seiner Seele, die für die Göttin wie ein Gegenstand ist.

Die Gegenstände, die Dinge erhalten bei Grass eine Bedeutung, die durch Oskars Blechtrommel charakteristisch illustriert wird. Durch die Grass eigentümliche Verbindung von Naivem und Unheimlichem, von vordergründig Harmlosem mit hintergründig Bedrohlichem wächst die Trommel weit über das Ding «an sich» hinaus und entzieht sich allen endgültigen Deutungsversuchen. Was die Blechtrommel in dem einen Roman ist, sind die Vogelscheuchen in dem anderen. Sie erscheinen in immer neuen Zusammenhängen, Variationen, Bedeutungswandlungen und Bedeutungsumkehrungen, bis sie schließlich mehr und mehr in den Bereich des Magischen, Dämonischen, Mythischen rücken. Diese Bedeutungsentfremdung der Dinge ist zumeist eine Bedeutungsaufwertung, die sie als gleichberechtigt an die Seite der Menschen treten läßt. Von Zeit zu Zeit nehmen die Gegenstände bei Grass nicht nur magische, sondern religiöse Züge an. Der Ringfinger in der *Blechtrommel* wird von Oskar wie eine Relique verehrt. Vom episodenhaften Strukturschema der Grass'schen Romane ausgehend, läßt sich sagen, daß nicht nur jeder Roman und die Novelle, sondern auch die meisten Episoden von einem zentralen «Ding» gekennzeichnet sind, einem Leitmotiv und Symbol, dessen Bedeutungswert nicht unbedingt fixierbar zu sein braucht. Einige wenige dieser Falken erscheinen nur in der durch sie gekennzeichneten Episode, wie die Galionsfigur in dem *Blechtrommel*-Kapitel «Niobe». Die meisten jedoch geistern durch das gesamte künstlerische Schaffen von Grass, werden hier bloß beiläufig erwähnt, dort ausführlich behandelt, und sie verwandeln sich allzu oft von dem Produkt einer spielerischen Laune oder einem harmlosen Spielzeug in ein ominöses Gebilde, das den Menschen an Potenz und düsterer Ausstrahlung übertrifft.

Nirgends jedoch machen sich die Gegenstände selbständig, immer bleiben sie auf die Sphäre des Menschen bezogen. Die wiederkehrenden Motive – Blechtrommel, Vogelscheuche, Kleiderschrank, Schraubenzieher, Puppe, Kochlöffel, Taschenmesser, Knopf, Gutenbergdenkmal, Ritterkreuz – sind undenkbar ohne den Menschen, dem sie ihren Ursprung verdanken. Dieser Gedanke läßt sich auf die Tiere ausdehnen, die motivartig immer wieder erwähnt werden. Hunde, Hühner, Tauben, Ratten, Spatzen, sogar Möwen sind Tiere, die ihr Dasein in der Nähe des Menschen fristen, die vom Menschen abhängig sind. Im weiteren Sinne gilt das gleiche für den Rahmen, den Hintergrund des Werkes. Hier existiert ein sorgfältig gewahrtes Gleichgewicht zwischen Stadt und Land, zwischen Industrielandschaft und ländlichen Bezirken. Die Reihenfolge sollte umgekehrt werden, denn in den ersten Teilen der Romane wird das Geschehen in ländliche Idylle gesetzt, während dem Ende zu die Großstadt vorherrscht. Unberührte Natur dagegen erscheint selten, eigentlich gar nicht. Sobald Grass sich einmal in Stifterschen Naturschilderungen verliert, «juckt es ihn» wie Brauxel, in die Einöde «Leben zu pusten». Immer ist die Landschaft vom Menschen gekennzeichnet. Schon den Augen von Großmutter Bronski, die am Rande eines Kartoffelackers hockt, bietet sich das Abseits der Kaschubei als Natur mit Telegraphenstangen und einer Ziegelei dar, ein durchaus ländliches Milieu, dem der Mensch aber schon sein Siegel aufgedrückt hat.

«Ich bin auf Oberfläche angewiesen», erklärt Grass in dem Interview mit Geno Hartlaub, «ich gehe vom Betastbaren, Fühlbaren, Riechbaren aus.» Grass und seine Gestalten erleben die Welt mit hungrigen Sinnen, mit offenen Augen und Ohren, besonders aber mit ihrem Geruchsvermögen. Oskar identifiziert die Menschen seiner Umgebung mit Gerüchen. Der Geruch leicht ranziger Butter unter den Röcken der Großmutter begleitet ihn sein Leben lang. Marias Vanillegeruch und die penetrante Ausdünstung der Lina Greff werden immer wieder erwähnt. Die Liliputanerin Roswitha Raguna riecht nach Zimt, gestoßenen Nelken, Muskat und vorweihnachtlich nach Backgewürzen. Essiggeruch kennzeichnet Schwester Dorotheas Zimmer, und bei Zeidlers riecht es nach kalten Zigarren, alten Kalendern oder Teppichen. Klepp hat den Geruch einer Leiche an sich, die «nicht aufhören kann, Zigaretten zu rauchen, Pfefferminz zu lutschen und Knoblauchdünste auszuscheiden». Oskars geheime Liebe gehört den Krankenschwestern, und auch sie werden mit einem typischen Geruch identifiziert: «Anfangs roch ich sie widerwillig, bald ging ich ihrem Geruch nach, stellte mich neben, sogar zwischen ihre Berufskleidung.»

Psychopathologisch interessant ist die Sehnsucht der Grass'schen Gestalten nach Geborgenheit und Schutz, die oft zusammen mit einem unklaren Schuldgefühl auftaucht. Eine von Oskars ersten Regungen in dieser Welt ist der Wunsch, in die «embryonale Kopflage» zurückzukehren. Später sind es die Röcke der Großmutter, die ihn unwiderstehlich anziehen, und ganz am Ende, wenn Mutter und Großmutter nicht mehr für ihn da sind, wünscht er sich ein noch höheres Gitter für sein Krankenbett, um vor der Welt geborgen zu sein. Mahlke richtet sich im Innern des gesunkenen Minensuchboots ein, und er legt großen Wert darauf, daß niemand den Eingang zu seinem Versteck findet. Nachdem er gänzlich mit der Welt zerfallen ist, verschwindet er auf immer in seinem seltsamen Tempel. In *Hundejahre* sagt Tulla der Welt ab und verkriecht sich in die Hundehütte, wo sie eine Woche lang von dem Hund gegen alle menschlichen Annäherungsversuche geschützt wird. Ohne Freud und Jung zu bemühen, kann man in fast allen diesen Fällen von einer Flucht aus der harten Wirklichkeit, aus der Welt der Männer und Väter, in das Abseits, in mütterlich-erotisch-tierische Bereiche, in den Mutterleib sprechen. Mahlkes erotischer Marienkult gehört hierher, auch Oskars erotisch gefärbte Krankenschwesterverehrung. Wahrscheinlich gehören auch hierher eine Reihe von Verstecken mit erotischen Assoziationen, in die sich Grass' Helden zeitweise zurückziehen: Oskar in den Kleiderschrank, unter den Tisch, in die Badekabine mit Maria, Harry und Tulla in das Holzschuppennest, Harry und Jenny in die schützende Dunkelheit des Kinos, Matern mit Inge Sawatzki in den Beichtstuhl einer leeren Kirche. Vielleicht gehört auch hierher Grass' eigene Sehnsucht nach Danzig, nach der verlorenen Kindheit, bildlich gesprochen: nach der Nabelschnur.

Ein Teil der Faszination, den der Grass'sche Stil besonders auf den deutschen Leser ausübt, beruht auf seiner eigenartigen Fähigkeit, längst verschüttete Bereiche zu berühren und wieder zu erwecken. Dies geschieht teils auf recht vordergründige, teils auf sehr subtile, schwer zu übersehende Art. Da ist natürlich das Milieu der Kindheit, das Grass mit sprachlichen Mitteln reich und überreich wiederaufleben läßt, kleinste Details wie Käthe-Kruse-Puppen und Märklin-Baukästen mit eingeschlossen. Da ist das Kinderlied, das deutsche Lied überhaupt, dem Grass in zahllosen Anklängen, Travestien und Parodien einen nicht unbedeutenden Platz in seinem Werk einräumt. Die deutsche Geschichte ist für Grass ein Instrument, das er mit Vorliebe spielt und dem er volle, reiche Akkorde entlockt, ohne je den Geschichtsprofessor wie etwa Felix Dahn spielen zu wollen. Völlig unverbindlich reiten da noch einmal Lützows verwegene Jagd und Ziethen aus dem Busch und mit ihnen zahllose andere Gestalten aus Geschichte und Lied. Gerade das Unverbindliche dieser «recherche du temps perdu» hat etwas Bestechendes. Der Leser hat das beruhigende Gefühl, daß ihm hier keine neue Heilslehre schmackhaft verkauft werden soll, sondern daß man ihn lediglich unterhalten will.

Selbstverständlich schwebt Grass in weltanschaulicher Hinsicht nicht im luftleeren, unverbindlichen Raum. Seine antinationalistische, antinazistische und antikommunistische Einstellung kann kaum übersehen werden, und sie ist außerhalb seines dichterischen Werkes in offenen Briefen und politischen Stellungnahmen manifestiert. Im Werk selbst aber läßt sich Grass nie zur bitterbösen Auseinandersetzung mit dem Gegner herab. Anstatt wie Böll mit Schwert und Lanze als St. Georg zu Felde zu ziehen, läßt Grass noch einmal den Ostwind in den Fahnen wehen, und der Leser, der die Lieder der Nazizeit kennt, weiß, wer hier verunglimpft werden soll. Nicht anders verhält es sich, wenn Grass scheinheilig und lieblich vom aufbauwilligen Elbsandsteingebirge und von der volkseigenen, zuckerrübenreichen Magdeburger Börde flötet. Die einzige klare Aussage über die DDR findet sich in dem Gedicht «Gesamtdeutscher März»: «Im Friedenslager feiert Preußen / das Osterfest, denn auferstanden / sind Stechschritt und Parademarsch; / die Tage der Kommune sind vorbei, / und Marx verging im Leipz'ger Allerlei.» Während der Leser im Grass'schen Werk nie ein logisches Argument gegen Nazismus und Kommunismus antrifft (welches notfalls mit einem Gegenargument entkräftet werden könnte), findet er eine geradezu unübersehbare Fülle von offenen und versteckten sprachlichen Angriffen auf der Ebene des groben Ulkes, dem nichts heilig ist.

Kritik bei Grass bedeutet also kein Anprangern, keine ideologische Auseinandersetzung, sondern Parodie, Persiflage, Verhohnepipeln. Den ideologischen Kampf mit Faschismus, Militarismus, Kommunismus und ähnlichen Erscheinungen unserer Zeit überläßt er den Theoretikern, Philosophen und Politikern, denen er sich zeitweise als Staatsbürger zugesellt, nicht aber als Dichter. Die geistigen Strömungen des zwanzigsten Jahrhunderts treten nicht wie im *Zauberberg* personifiziert, sondern parodiert und karikiert auf. Wenn Grass zum Beispiel Hitler und Heidegger auf denselben Denkmalsockel stellen will, so werden hier nicht so sehr ideologische Parallelen gezogen, obwohl der Autor auch an das Jahr 1933 und an Heideggers Rektoratsrede gedacht haben mag. Gleichsetzung wie Verunglimpfung geschehen auf sprachlicher Ebene. Heideggers Vorliebe für die mythologische Umschreibung, seine Abneigung gegen Fremdwörter, sein Rückgriff auf vorlutherisches, auf «urdeutsches» Sprachgut findet Grass im «Dritten Reich» zu einem Aspekt der Staatsreligion erhoben, und diese sprachlichen Entsprechungen werden von ihm aufgegriffen und kommen besonders in der grotesken Verschmelzung von Wehrmachtsbericht-Heidegger-Stil zum Ausdruck. Daß Grass eine persönliche Abneigung gegen Heideggers Philosophie hat, daß hier allem Anschein nach eine Jugendliebe in Erwachsenenhaß umgeschlagen ist, soll dabei nicht einmal in Frage gestellt werden.

Die grundsätzliche Antipathie gegen jegliche Art Ideologie findet ihre Ergänzung in der nüchternen, völlig unromantischen Darstellung der Liebe. Oskar philosophiert über die Liebe: «Obgleich ich wußte, dieses abwechselnd aus Mama und Jan oder Matzerath und Mama bestehende, seufzende, angestrengte, endlich ermattet ächzende, Fäden ziehend auseinanderfallende Knäuel bedeutet Liebe, wollte Oskar dennoch nicht glauben, daß Liebe Liebe war, und suchte aus Liebe andere Liebe und kam doch immer wieder auf die Knäuelliebe und haßte diese Liebe, bevor er sie als Liebe exerzierte und als einzig wahre und mögliche Liebe sich selbst gegenüber verteidigen mußte» (S. 341). Was Oskar als «einzig wahre und mögliche Liebe» bezeichnet, wird nicht nur von ihm, sondern auch den anderen Gestalten in allerlei Variationen durchprobiert. Es handelt sich um die Stellen, die von vielen Lesern als anstößig und jugendgefährdend empfunden werden. Daß Grass unter anderem ein Meister des Obszönen ist, läßt sich auch durch diplompsychologische Gutachten kaum verschleiern. Zugleich läßt sich jedoch feststellen, daß der Geschlechtsakt bei Grass wenig mit den abstoßenden Paarungen im Werke Kafkas gemein hat. Bei Kafka treibt man Liebe in schmutzigen Betten oder auf dem mit Bierpfützen bestandenen Fußboden. Grass geht weiter, doch in einer anderen Richtung, er geht ins Detail. Er beschreibt die erotischen Abenteuer eines häßlichen Zwerges mit einer schlampigen, schmuddligen, übelriechenden Gemüsehändlerin. Er erzählt mit den letzten unappetitlichen Einzelheiten den Geschlechtsverkehr zwischen dem beleibten Matzerath und Maria Truczinski. Die Episode des brünstigen Herbert Truczinski, der im «Bespringen» der hölzernen Niobefigur den Tod findet, die bizarren erotischen Experimente der Tulla Pokriefke, Walter Materns Sexakt im Beichtstuhl sowie sein tripperverbreitender Rachefeldzug – alle diese Exzentrizitäten aus der sexuellen Sphäre werden mit einer meist nur Jugendlichen eigenen Freude am Verbotenen vorgetragen. Nach Grass erzählt Grass aus Freude am Erzählen. Demzufolge erprobt er das Obszöne aus Lust am Obszönen, so wie er das Widerwärtige in der Beschreibung eines erbrochenen Frühstückes erprobt. Nicht die schmutzige, feuchtkalte Paarung Kafkas, sondern die vulgäre, zotenhafte, doch ungleich sympathischere Erotik Boccaccios oder Chaucers feiert hier eine triumphale Wiederauferstehung. Und da Grass unter anderem auch Zeichner ist, tut er ein übriges und illustriert den Gedichtband *Ausgefragt* neben anderen Gebilden mit einer naturtreuen Vulva Maßstab zwei zu eins. Um den Verdacht, es handle sich um eine quasi medizinisch-anatomische Studie, von vornherein zu entkräften, spricht der Poet im beigefügten Gedicht «März» sinnig von «Fotzen» und «läufigen Fingern» und beschwert sich dann, die Engel seien zu trocken und zu eng.

Die Dichtung von Günter Grass ist nicht Belletristik, schöngeistige Literatur, aber auch nicht ein Wühlen im Schlamm, wie so oft behauptet wird. Sie ist beides gleichzeitig. Der Schwan und die Ratte sind zwei Tiere, die immer wieder, einzeln und zusammen, bei Grass erscheinen. In dem Gedicht «Racine läßt sein Wappen ändern» berichtet der Dichter von dem französischen Klassiker, der die Ratte aus seinem Wappen entfernt und lediglich den Schwan behält: «Fort streicht er die heraldische Ratte. / Die aber hört nicht auf, seinem Wappen zu fehlen. / Weiß, stumm und rattenlos / wird der Schwan seinen Einsatz verschlafen – / Racine entsagt dem Theater.» Für Grass hört Racine mit diesem symbolischen Akt auf, ein wahrer Künstler zu sein, denn Kunst schließt für ihn auch die Kehrseite des Lebens ein, das Häßliche, Abstoßende, Ekelerregende. Es braucht kaum wiederholt zu werden, wieviel Aufmerksamkeit er den «weniger netten» Dingen schenkt, von der Ratte, der Urin- und der Blutegelsuppe, dem Onaniewettbewerb, der Umbettung einer stark verwesten Leiche bis zum Geruch des weiblichen Geschlechtsteils. Ungerecht wird die Kritik lediglich dann, wenn sie diesen sicherlich hohen Anteil an Bodensatz als *das Werk* von Grass schlechthin darstellt und die Stellen von lyrischer Zartheit geflissentlich übersieht. Während Racine die Ratte aus seiner Kunst streicht, versucht man seit 1959 besonders in kirchlichen und provinziellen Blättern, dem Grass den Schwan zu streichen und nur die Ratte zu sehen.

In seinen Stellungnahmen zu Fragen des öffentlichen Lebens zeigt sich Grass als ein verantwortungsvoller, fortschrittlich gemäßigter Kopf. Er unterschrieb 1960 die Boykott-Drohung gegen ein staatlich gelenktes zweites Fernsehen, 1961 den offenen Brief an die UNO, 1967 den Israel-Aufruf gegen arabische Aggression sowie den Protest zum Tod des Studenten Benno Ohnesorg. Alle diese Deklarationen wurden von einer Reihe namhafter, der Gruppe 47 nahestehender Autoren unterzeichnet. Grass lehnte es jedoch ab, die ebenfalls von der Gruppe 47 ausgehende Erklärung zur *Spiegel*-Affaire zu unterzeichnen, welche die berühmte Aufforderung zur Unterrichtung der Öffentlichkeit über «sogenannte militärische Geheimnisse» enthält. (Die Erklärung wurde von 36 Autoren, darunter Andersch, Enzensberger, Johnson, Lettau, Reich-Ranicki, Richter, Rühmkorf, Schallück, Schnabel, Schnurre, Wagenbach und Walser unterzeichnet.) Grass äußerte sich sehr entschieden gegen diese Erklärung. Er sagte, die Bundesrepublik sei nicht nur von rechts, sondern auch von links bedroht. In seinem *Twen*-Aufsatz «Ich bin gegen Radikalkuren» erinnert er daran, daß der Nationalist Josef Goebbels und der Kommunist Walter Ulbricht im Berlin vor der «Machtübernahme» gemeinsam den Streik gegen die SPD organisierten. In dieser Partei, der SPD, sieht Grass den Hauptgaranten der parlamentarischen Demokratie. Zur Besonnenheit mahnte er auch während der Studentenunruhen und kritisierte die radikalen Tendenzen des Sozialistischen Deutschen Studentenbundes: «So sehr ich bedaure, daß mit dem SDS ein Vermögen an Intelligenz verschleudert wird – wenn diese Studentenorganisation meint, sie dürfe den ohnehin schwierigen Versuch, in Deutschland die Demokratie zu etablieren, mit Revolutionsmethoden des 19. Jahrhunderts zu verhindern suchen, dann hat sie in mir einen politischen Gegner von ziemlicher Ausdauer.» (Leider konnte es sich Grass bei aller Ausgewogenheit und Mäßigung nicht versagen, nach der Wahlniederlage 1965 den schlechten Verlierer voller Ressentiments zu spielen, wofür ihm die Rede anläßlich der Verleihung des Büchner-Preises ein ausgezeichnetes Forum verschaffte.)

Sicherlich ist Grass ein Repräsentant der linken Intelligenz der Bundesrepublik, doch eher der gemäßigten, der liberalen Linken. Hans Magnus Enzensberger hat von ihm gesagt, er sei kein literarischer Jakobiner, so wild er sich in seinen Büchern auch gebe. Symptomatisch für Grass' Position ist seine Stellungnahme und erklärte Vorliebe für die SPD. Ohne Zweifel bestehen geistige Verwandtschaften mit den radikalen Linken, den echten Jakobinern wie Enzensberger, die Benn, Jaspers, Heidegger und so ziemlich alle, die vor 1945 schrieben, als nazistisch kompromittiert ablehnen. Nicht zufällig mokiert sich Grass in seinen Büchern über Heidegger, die innere Emigration und den antifaschistischen Widerstand der Konservativen aus Aristokratie, Bürgertum, Kirche und Heer, dessen führende Vertreter nach dem Putsch des 20. Juli 1944 liquidiert wurden. Grass ist jedoch ein Mann der bestehenden Ordnung. Nie hat er sich an dem modischen Rosa-Luxemburg-Rummel beteiligt, der einige Jahre unter der linken westeuropäischen Intelligenz herrschte und sogar den Katholiken Böll infizierte. Die radikale Linke lebt in der Zukunft; Grass ist fasziniert, hypnotisiert von der deutschen Vergangenheit, vom deutschen Geschichtsbuch. «Ja, in Geschichte war ich immer gut», erklärt er in dem Gedicht «Kleckerburg». Gleichzeitig steht Grass jedoch mit beiden Füßen in der Realität der Gegenwart, im demokratischen Kleinkram, wie er sich ausdrückt. Auch in dieser Hinsicht unterscheidet er sich von den Radikalen, die an dem zukünftigen Utopia bauen und den Kult der Hoffnung betreiben. Grass ist ein Mann der Gegebenheiten, des Kompromisses, des Möglichen, ein Verfechter der bundesrepublikanischen Demokratie. In dem Gedicht «In Ohnmacht gefallen» macht er sich lustig auf Kosten der berufsmäßigen Protestierer, die die Welt vom Schreibtisch aus verbessern wollen, ohne sich die Hände an der tagtäglichen Auseinandersetzung des politischen Lebens zu beschmutzen: «Wir kauen Nägel und schreiben Proteste. / Aber es gibt, so lesen wir, / Schlimmeres als Napalm. / Schnell protestieren wir gegen Schlimmeres. / Unsere berechtigten Proteste, die wir jederzeit / verfassen falten frankieren dürfen, schlagen zu Buch.»

Den Eindruck eines gewandten, doch maßvollen Gesprächspartners macht Grass auch bei öffentlichen Diskussionen. Dies zeigte sich besonders bei dem Treffen zwischen dem bekannten russischen Romancier und Dramatiker Konstantin Simonov, Uwe Johnson und Günter Grass im Jahre 1965. Warum man in Westdeutschland für ein politisch verfängliches Werk einen Verleger findet, in der UdSSR dagegen nicht, dies ist schon ein delikates Thema für einen repräsentativen Sprecher der sowjetischen Intelligentsia, der zudem noch verantwortlich ist für die Unterbindung des Druckes von *Doktor Schiwago* in Rußland. Die taktische Überlegenheit der Position von Grass und Johnson, letztlich begründet in der politischen Situation, hätte zwei weniger taktvolle und sichere Diskutanten leicht zu billigen Attacken verführen können. Grass und Johnson entschieden sich für das Gespräch, nicht für den Angriff, obwohl sie besonders in der Pasternak-Affaire vieles sagten, was bei einem Mann von weniger Format als Simonov sicherlich zum Ende der Diskussion geführt hätte. Überraschend bleibt der Erfolg des Treffens: ein führender Kopf der sowjetischen Schriftsteller, der zudem noch einer der ersten Männer des staatlichen Verlagssystems ist, erklärt sich mit den beiden Deutschen einverstanden, daß mehr Kontakt zwischen den Schriftstellern der beiden Sphären hergestellt und daß eine größere Initiative auf dem Gebiet der Übersetzungen angestrebt werden sollte. (Einen Pluspunkt gewann der durchaus pragmatisch denkende Grass für Johnson, als er aus Simonov das Versprechen herauslockte, Johnson nicht nur zu lesen, sondern auch seine Übersetzung zu arrangieren.) Als Konservativer sowohl der Politik als auch der Literatur bezeichnet sich Grass in dem Interview mit Manfred Bourée: «Mein Ideal ist eine langsam arbeitende Demokratie.» Als Schriftsteller wolle er nicht provozieren, sondern nur aufzeigen, die Strömungen der Zeit einfangen.

Die Zeit, wie sie Grass einfängt, ist allerdings mehr als bloßes Spiegelbild der Epoche. Das Grass'sche Gesellschaftsbild ist gesättigt mit subtiler Kritik in Form von Satire jeglicher Art, von der milden Horazischen bis zur scharfen Satire im Sinne Swifts, von der religiösen über die literarische zur sozialen Satire. Grass geht jedoch viel weiter als Swift. Dieser konnte von sich selbst auf seinem Grabstein sagen: «Yet malice never was his aim, / He lashed the vice, but spared the name ...» Günter Grass kann diesen Spruch wohl kaum für sich in Anspruch nehmen. Auch er geißelt menschliche Schwächen, doch schont er weder die Namen der deutschen Geschichte noch die der jüngsten Vergangenheit oder der bundesrepublikanischen Gegenwart. Im dritten Buch der *Hundejahre* treten die meisten der Gestalten, die in den letzten zwanzig Jahren eine Rolle in der Öffentlichkeit spielten, ins grelle Licht der Grass'schen Satire. Grass will nicht so sehr korrigieren als amüsieren. Er will weder Gewissen der Nation noch Praeceptor Germaniae sein. Auch die Rolle des schreibenden Hofnarren, nämlich des literarischen Beraters der Macht, sieht er eher als einen unrealisierbaren Wunschtraum ohne Beziehung zur gegebenen Wirklichkeit. «Engagierter Schriftsteller» ist für ihn ein Ausdruck, der ihn an «Hofkonditor» oder «katholischer Radfahrer» erinnert, wie er in seinem Vortrag «Vom mangelnden Selbstvertrauen der schreibenden Hofnarren» erklärte. Nicht durch engagierte Literatur, nicht durch sein Werk, sondern durch gelegentliches persönliches Eingreifen in die politische Wirklichkeit soll der Schriftsteller nach Grass das politische Geschehen zu beeinflussen suchen. Die Husarenritte in die bundesrepublikanische Gegenwart, die in seinen Romanen eingeschoben werden, sind nicht so sehr auf Korrektion eingestellte Gesellschaftskritik als literarische Integration von Stoff mit aktuellem Interesse, aufgespürt von einem Autor mit einem entwickelten Sinn für ergiebiges episches Material.

Dieses findet er in reichem Maße im Christentum, im Katholizismus. Grass als Autor ist fasziniert von religiösen Motiven katholischer Herkunft. In dem Gedicht «Kleckerburg» schreibt er: «Und aufgewachsen bin ich zwischen / dem Heiligen Geist und Hitlers Bild.» Die Haupthelden der beiden ersten Erzählwerke, Oskar und Mahlke, sind verhinderte Christus-Gestalten, sie entwickeln sich zu einer Art Christus-Karikatur. Die Erlösergestalten der literarischen Tradition, Dostojevskis Prinz Myshkin oder Hauptmanns Emmanuel Quint etwa, sind alle vorwiegend tragische Gestalten, die eine echte Nachfolge Christi anstreben. Neu bei Grass ist die Note der Lächerlichkeit, der Groteskheit seiner beiden Gestalten, die im Einklang steht mit des Autors literarischer Behandlung von Ideologien jeglicher Art. Wörter wie Nihilist, Atheist, Gotteslästerer sind schon gebraucht worden, um diese Gestaltung anzuprangern. Grass wehrt sich gegen solche Einstufungen, er wehrt sich prinzipiell, von irgendeiner weltanschaulichen oder religiösen Gruppe im positiven oder negativen Sinne eingestuft zu werden. Seine Vorbehalte gegenüber dem Protestantismus lassen sich leicht aus seinen Büchern herauslesen, besonders Oskar macht kein Geheimnis von seiner Abneigung gegen die evangelischen Kirchen. Grass' Sympathie gilt zweifelsohne dem Katholizismus, in dem ihn wiederum das heidnische Element anzieht. In seinem Interview mit Geno Hartlaub erklärt Günter Grass: «Protestantismus sehe ich als Spielart einer christlichen Religion. Er bleibt zu abstrakt... Nach meinem Herkommen und der zu beschreibenden Wirklichkeit ist für mich der Katholizismus das gegebene. Diese Religion äußert sich im Alltag nicht christlich, sondern heidnisch. Das mag, vom Protestantismus aus gesehen, die Schwäche dieser Religion sein, aber vom Katholiken aus gesehen, auch wenn er nicht mehr glaubt, ist diese kräftige Portion Heidentum seine Stärke. Mich beunruhigen religiöse Fragen nicht.»

Die Kritik hat darauf hingewiesen, daß Thomas Mann, der wie Grass Aufstieg und Niedergang des Nationalsozialismus in seinem Werk mit dem Geschick einiger Menschen koppelt, unter Annahme und Voraussetzung einer absoluten Wertskala die Ereignisse der Periode zwischen 1933 und 1945 als teuflisch verurteilt und verdammt. Grass urteilt nicht und verdammt nicht, er stellt höchstens in Frage. Diese Tatsache zeigt sich schon in den Eigenheiten der vorgeschobenen Erzähler. Keine dieser Gestalten ist in der Lage, ein gültiges Urteil über die Umwelt und die Ereignisse zu fällen. Sie alle zeichnen sich durch Unentschlossenheit, durch Mangel an ethischen Prinzipien aus, was sich auf mehreren Ebenen auswirkt. Oskar widerspricht und korrigiert sich im Laufe seiner Erzählung ungezählte Male. Der Tod von Alfred Matzerath zum Beispiel wird bei jeder neuen Wiederholung in einem neuen Licht dargestellt, fast jedesmal erfahren wir Einzelheiten, die Oskars Anteil am Geschehen anders erhellen. Dabei weiß der Leser am Ende ebensowenig wie Oskar, welche Lesart die korrekte ist oder ob die Wahrheit nicht noch hinter seinen Worten gesucht werden muß. Die Glaubwürdigkeit von Pilenz wird im gleichen Maße erschüttert. Er scheint nicht mehr zu wissen, wer die Katze eigentlich an Mahlkes Hals setzte; bei jeder neuen Version, die er gibt, verstärkt sich beim Leser der Verdacht, daß Pilenz es selbst war und daß hier etwas verheimlicht werden soll. In *Hundejahre* vollends wird aus verschiedenen Blickrichtungen erzählt, von denen keiner apodiktische Endgültigkeit verliehen wird. Matern etwa wird von Amsel, von Liebenau und von sich selbst gesehen; die eine Aussage modifiziert und korrigiert die andere. Der im Leser hinterlassene Eindruck ist bei allen drei Büchern der gleiche: es könnte so gewesen sein, es könnte aber auch anders gewesen sein. Nirgends tritt eine Figur auf, die im Bewußtsein der eigenen Gerechtigkeit einen Maßstab für die anderen darstellt. Walter Matern, der als einziger einen solchen Anspruch erhebt, entpuppt sich im Laufe seiner richtenden, rächenden Reisen als mindestens ebenso tief in Schuld verstrickt wie die Opfer seiner Rache.

Günter Grass ist ein Erzähler im naiven, primitiven, historischen Sinne des Wortes. Er versteht es, den Leser durch Dichte und Konzentration von Handlung und Detail wie in einem Kriminalroman zu fesseln. Nur selten verliert er sich in Beschreibungen. Der Schwung, das Tempo läßt ihn weitgehend auf das Adjektiv verzichten, das meist nur in seltenen, originellen Prägungen erscheint. Der Stil ist bestimmt vom aussageträchtigen Substantiv, allenfalls noch vom Verb. Mit dem Substantiv erlaubt sich der Dichter alle nur möglichen Spielereien und Variationen, vom Substantiv her bildet er neue Wörter von frappanter Prallheit und Kraft. Die von ihm bevorzugte Konjunktion ist das «und». Der durch diese Stileigenschaft hervorgerufene Eindruck der naiven, kindlichen Erzählweise wird noch verstärkt durch bevorzugte Verwendung der Parataxe, häufig auch durch Märchenformulierungen wie «Es war einmal ...». Daneben macht Grass ausführlichen Gebrauch vom Kinderreim, vom Kinderlied oder ganz einfach von kindlichen Gedankengängen und Vorstellungen. Hierher gehört auch die scheinbar kindlich-naive Wiederholung von bereits Gesagtem, die wir sowohl in Lyrik als auch in Drama und Prosa von Grass antreffen. In dem Gedicht «Napalm» heißt es beispielsweise: «Wir lesen Napalm und stellen Napalm uns vor. / Da wir uns Napalm nicht vorstellen können, / lesen wir über Napalm, bis wir uns mehr / unter Napalm vorstellen können.» Wiederholung mit Variation ist ein literarischer Faktor so alt wie die Literatur selbst, doch ist er wohl selten so strapaziert worden wie bei Grass. Das Wiederholte wird nicht einmal unbedingt variiert, es kann in derselben Form zwei-, drei- und viermal auftauchen. Vom einzelnen Wort über den Satz bis zum langen Abschnitt kann bei Grass alles wiederholt werden. Das Wort «Löffel» wird in dem kleinen Gedicht «Köche und Löffel» gleich neunzehnmal gebraucht. Oft verwandelt sich die Wiederholung in ein amüsantes Spiel, manchmal erscheint sie als launenhaftes Beharren auf einem einmal angeschlagenen Motiv oder als spannungssteigernde Retardation. Im ersten Kapitel der *Blechtrommel* heißt es: «Es bewegte sich etwas zwischen den Telegrafenstangen. Meine Großmutter schloß den Mund, nahm die Lippen nach innen, verkniff die Augen und mümmelte die Kartoffel. Es bewegte sich etwas zwischen den Telegrafenstangen. Es sprang da etwas.» Hier haben wir eine geglückte Symbiose der drei Wiederholungsformen Spiel, Beharren und Retardation in einem Satz. Ausgesprochen lästig wird die Wiederholung bei Grass lediglich dann, wenn ganze Abschnitte mehrere Male erscheinen, manchmal sogar Wort für Wort wie der Stammbaum des Hundes Harras oder die Geschichte vom aalwimmelnden Pferdekopf.

Zum Abschluß noch einige Worte über die Konzeption des Stoffes, aus dem Grass seine Romane braut. Der wichtigste Faktor ist hier der Einfall, der phantastische, groteske, der Grass'sche Einfall, der das Skelett eines jeden Buches bildet: ein Junge wird mit der Intelligenz eines Erwachsenen geboren; mit drei Jahren stellt er freiwillig das Wachstum ein; in gereiztem Zustand zersingt er Glas. Das sind nur drei Beispiele des Grass'schen Einfalls, doch könnte man leicht hundert aufzählen. Grass scheint hier aus einem unerschöpfbaren Vorrat zu schöpfen. Was andere Schriftsteller an Einfällen in einem langen Leben nicht zusammenbekommen, Grass verschwendet es an ein einziges Buch. Die Auferstehung der gelähmten Großmutter, die milchtrinkenden Aale, die beiden Schneewunder, die durch Pfeffer erreichten Tanzhöchstleistungen, die Wunderbrillen – die Einfälle in *Hundejahre* werden nicht blasser und wäßriger, sondern reicher, phantastischer, grotesker. Nach den *Hundejahren* erhebt sich wieder die etwas bange und zugleich erwartungsvolle Frage: Wie kann es mit einem Schriftsteller weitergehen, der sich so rücksichtslos verausgabt? Zwischen den Einfällen dann der Stoff, der auf der Straße liegt und auf den schöpferischen Atem wartet, um zu Kunst zu werden. Bei Grass wird er nebenbei eingestreut, ob es sich um verlorene Schlachten, Weizensorten, Regeln des Faustballspiels oder das Innere eines Kolonialwarengeschäfts handelt. Diesem Autor wird grundsätzlich alles zu Stoff, und bei der heterogenen Beschaffenheit der Vorlagen ist es nur natürlich, daß sich nicht alles auf dem gleichen Niveau bewegt, daß es Höhen und Tiefen gibt. Dieser Wechsel, diese Vielwertigkeit gibt dem Werk die eigene Note eines zusammenhanglosen, eines absurden Welttheaters, wenn dieses Oxymoron hier erlaubt ist. Was alle disparaten Elemente schließlich miteinander verbindet, ist das pulsierende Leben, das einem aus jedem einzelnen Kapitel entgegenschlägt. In diesem vitalen Leben findet auch die Menge des Makabren und Sordiden, finden die Kehrseiten unseres Jahrhunderts einen Platz, wodurch das andere erst seinen eigentlichen

Wert erhält. Oskar verleiht diesem Gedanken Ausdruck, wenn er die Ameisen neben seinem erschossenen Vater beobachtet: Der rieselnde Zucker hatte für sie auch während der Besetzung Danzigs durch die Russen nichts von seiner Süße verloren.

Der ganz besondere Reiz des Grass'schen Erzählwerkes liegt in seiner umfassenden Reichhaltigkeit. Einen Roman wie *Die Blechtrommel* kann man mehrmals lesen, ohne ihn erschöpft zu haben. Bei jeder neuen Lektüre entdeckt man überraschende Einzelheiten, originelle Formulierungen etwa, die man vorher nicht wahrgenommen zu haben glaubt. Außerdem scheint die Tatsache etabliert, daß der Grass'sche Roman verschiedene Leser auf völlig verschiedene Art und Weise anspricht. Sprachliche Prägungen wie «götterdämmrige Stiefelbeine», die in reicher Auswahl in allen drei Erzählwerken vorkommen, mögen für einen erwachsenen Deutschen eine Fundgrube des literarischen Genusses sein, doch was bedeuten sie schon für einen zwanzigjährigen Kanadier, der die *Hundejahre* in englischer oder sophistizierter französischer Übersetzung liest? Wenn nun der ausländische Leser das Werk mit dem gleichen Interesse wie der deutsche goutiert, obwohl ihm ein Reichtum von Assoziationen und Bedeutungsgefällen für immer verschlossen bleibt, muß er es auf anderen Ebenen schätzen können. Die Vielfältigkeit, die schwer auszuschöpfende Vieldeutigkeit eines literarischen Werkes, sind sie nicht wiederum Zeichen von literarischer Qualität?

Das Ansehen der Grass'schen Romane wird wie das aller übrigen Dichtung im Laufe der Jahre dem wechselnden Geschmack des lesenden Publikums unterworfen sein, es wird fallen und steigen. Gerade seine Vielwertigkeit aber wird es wohl davor schützen, zu irgendeiner Zeit völlig in den Hintergrund verdrängt zu werden. Man wird es neu interpretieren, wird neue Bewußtseinsschichten entdecken. Den dichterischen Rang, den ihm heute kompetente Kritiker und vorurteilslose Kenner der Literatur zugestehen, wird es kaum verlieren.

VII

Bibliographie

A. PRIMÄRLITERATUR

«Kürzestgeschichten aus Berlin», *Akzente*, 6 (1955), S. 517 ff.
«Lilien aus Schlaf» (Gedicht), *Akzente*, 3 (1955), S. 259 f.
«Meine grüne Wiese» (Erzählung), *Akzente*, 6 (1955), S. 528–534.
«Die Ballerina» (Essay), *Akzente*, 6 (1956), S. 528 ff. (Neudruck: *Die Ballerina* (Essay, Graphiken), Berlin 1963.)
Onkel, Onkel (Stück, geschrieben 1956/57), Berlin 1965.
Die Vorzüge der Windhühner (Gedichte, Graphiken), Berlin 1956. (Neudruck: Berlin 1963.)
«Der Inhalt als Widerstand» (Essay), *Akzente*, 3 (1957), S. 229–235.
Beritten hin und zurück (Stück), *Akzente*, 5 (1958), S. 399 ff.
«Die Linkshänder» (Erzählung), *Neue deutsche Hefte*, V, 1 (1958/59), S. 38–42.
Die Blechtrommel (Roman), Neuwied 1959.
Noch zehn Minuten bis Buffalo (Stück), *Akzente*, 1 (1959), S. 5 ff.
O Suzanna (ein Jazz-Bilderbuch, zusammen mit Horst Geldmacher), Köln 1959.
«Die Erstgeburt» (Gedicht), *Akzente*, 5 (1960), S. 435.
Gleisdreieck (Gedichte, Graphiken), Neuwied 1960.
Hochwasser (Stück, erste Fassung), *Akzente*, 2 (1960), S. 498 ff.
«Im Tunnel» (Erzählung), *Nationalzeitung*, Basel 9. 1. 1960.
«Stier oder Liebe» (Erzählung), *Deutsche Zeitung*, Köln 9. 10. 1960.
Katz und Maus (Novelle), Neuwied 1961.
Die bösen Köche (Stück), in: *Modernes deutsches Theater*, Neuwied 1961.
«Fotogen» (Gedicht), *Akzente*, 5 (1961), S. 450.
«Das Gelegenheitsgedicht oder – es ist immer noch, frei nach Picasso, verboten, mit dem Piloten zu sprechen» (Essay), *Akzente*, 1 (1961), S. 8–11.
«Offener Brief an den Deutschen Schriftstellerverband» (mit Wolfdietrich Schnurre), *Die Zeit*, 18. 8. 1961.
«Und was können Schriftsteller tun?» (Offener Brief an Anna Seghers), *Die Zeit*, 18. 8. 1961.
«Ohrenbeichte: Brief an ein unbeschriebenes Blatt» (Polemik gegen Jens), *Sprache im technischen Zeitalter*, 2 (Febr. 1962), S. 170 f.
«Sollte dieser Preis zurückgewiesen werden?» (Offener Brief an Siegfried Lenz; dessen Antwort), *Die Zeit*, 16. 2. 1962.
Hochwasser (Stück, zweite Fassung), Frankfurt a. M. 1963.
Hundejahre (Roman), Neuwied 1963.
«Writers in Berlin. A Three-way Discussion» (mit Walter Höllerer und Walter Hasenclever), *Atlantic*, Dez. 1963, S. 110–113.

«Kleine Rede für Arno Schmidt», *Frankfurter Allgemeine Zeitung*, 19. 3. 1964.
«Vor- und Nachgeschichte der Tragödie des Coriolanus von Livius und Plutarch über Shakespeare bis zu Brecht und mir», *Spandauer Volksblatt*, 26. 4. 1964.
«Adornos Zunge» (Gedicht), *Akzente*, 4 (1965), S. 289.
Fünf Wahlreden («Was ist des Deutschen Vaterland» – «Loblied auf Willy» – «Es steht zur Wahl» – «Ich klage an» – «Des Kaisers neue Kleider»), Neuwied 1965.
«Lieber armer Freund Schlieker» (Glosse), *Sprache im technischen Zeitalter*, Sept. 1965.
«Der Mann mit der Fahne spricht einen atemlosen Bericht» (Gedicht), *Akzente*, 2 (1965), S. 122 f.
Poum oder die Vergangenheit fliegt mit (Einakter), *Der Monat*, Juni 1965.
«Rede über das Selbstverständliche» (zur Verleihung des Georg-Büchner-Preises), *Deutsche Akademie für Sprache und Dichtung, Darmstadt, Jahrbuch 1965*, S. 92–108.
Wahlreden (Schallplatte), Neuwied 1965.
«Grass speaks», *Atlas*, April 1966, S. 250.
«Freundliche Bitte um bessere Feinde» (Offener Brief an Peter Handke), *Sprache im technischen Zeitalter*, Sept. 1966.
Die Plebejer proben den Aufstand (Stück), Neuwied 1966.
«Vom mangelnden Selbstvertrauen der schreibenden Hofnarren unter Berücksichtigung nicht vorhandener Höfe» (Rede), *Akzente*, 3 (1966), S. 194–199.
«Von draußen nach drinnen» (Rez.), *Der Spiegel*, Hamburg 14. 11. 1966.
Ausgefragt (Gedichte und Zeichnungen), Neuwied 1967.
«Über meinen Lehrer Döblin» (Essay), *Akzente*, 4 (1967), S. 290–309.
«Offener Brief an Antonin Novotny», *Die Zeit*, Hamburg 8. 9. 1967.
«Tränentüchlein» (Gedicht), *Der Telegraf*, Berlin 14. 1. 1968.
«Briefe», *Die Zeit*, Hamburg 22. 9. 1967, 17. 11. 1967, 19. 1. 1968.
«Der Fall Axel C. Springer am Beispiel Arnold Zweig» (Polemik), *Voltaire Flugschriften 15*, 1968.
«Ich bin gegen Radikalkuren» (Essay), *twen*, Dez. 1968.
Briefe über die Grenze. Versuch eines Ost-West-Dialogs (mit Pavel Kohout), Hamburg 1968.
Über das Selbstverständliche (Reden, Aufsätze, offene Briefe, Kommentare), Neuwied 1968.
Über meinen Lehrer Döblin und andere Aufsätze. Berlin 1968.

B. SEKUNDÄRLITERATUR

Folgende Abkürzungen wurden gebraucht: Bt = *Die Blechtrommel*, Hj = *Hundejahre*, KuM = *Katz und Maus*, Pl = *Die Plebejer proben den Aufstand*, Au = *Ausgefragt*, BK = *Die bösen Köche*, NzM = *Noch zehn Minuten bis Buffalo*, OO = *Onkel, Onkel*, VW = *Die Vorzüge der Windhühner*, Gl = *Gleisdreieck*

ALBRECHT, GÜNTER, KURT BÖTTCHER, HERBERT GREINER-MAI, PAUL GÜNTER KROHN, *Deutsches Schriftstellerlexikon von den Anfängen bis zur Gegenwart*. Leipzig 1964. (S. 215 f. «Günter Grass»)

ARNOLD, FRITZ, «Aus der Zwergperspektive» (Bt), *Augsburger Allgemeine*, 5. 12. 1959.

ARNOLD, HEINZ LUDWIG, «Die unpädagogische Provinz des Günter Grass», *Text und Kritik*, I, 1 (1963), S. 13–15.

– «Grass-Kritiker», *Text und Kritik*, I, 1 (1963), S. 32–36.

AUGSTEIN, RUDOLF, «William Shakespeare, Bertolt Brecht, Günter Grass» (Pl), *Der Spiegel*, XX, 5 (1966), S. 83–87.

B., W., «Grass spielt Katz und Maus» (KuM), *Nürnberger Nachrichten*, 17. 11. 1961.

BAECKER, SIGURD, «Vier Akte Zaudern» (Pl), *Vorwärts*, Bonn 16. 2. 1966.

BÄNZIGER, HANS, «Zwergengetrommel zwischen Ost und West» (Bt), *Die Tat*, Zürich 9. 1. 1960.

BAIÉ, BERNHARD, «Trommelei auf Blech» (Bt), *Recklinghäuser Zeitung*, 6. 2. 1960.

BAIER, LOTHAR, «Weder ganz noch gar. Günter Grass und das Laborgedicht», *Text und Kritik*, I, 1 (1963), S. 28–31.

BANCE, A. F., «The enigma of Oskar in Grass's *Blechtrommel*», *Seminar*, III, 2 (Herbst 1967), S. 147–156.

BARANOWSKY, W., «Das Holz, aus dem man Helden schnitzt» (KuM), *Das Andere Deutschland*, Hannover Jan. 1962.

BATT, KURT, «Groteske und Parabel. Anmerkungen zu *Hundejahre* von Günter Grass und *Herr Meister* von Walter Jens», *Neue Deutsche Literatur*, XII, 7, S. 57–66.

BAUMGART, REINHARD, «Günter Grass: Katz und Maus», *Neue Deutsche Hefte*, Berlin Jan. 1962.

– «Kleinbürgertum und Realismus. Überlegungen zu Romanen von Böll, Grass und Johnson», *Neue Rundschau*, LXXV, 4, S. 650–664.

– «Plebejer-Spätlese» (Pl), *Neue Rundschau*, Mai 1966.

BECKER, JÜRGEN, «Gleisdreieck», *Westdeutscher Rundfunk*, Köln 15. 2. 1961.

BEER, K. W., «Grass und die Folgen. Die ‹Formulierungshelfer› der SPD», *Die politische Meinung*, X, 108 (1965), S. 8–11.

BERGER, FRIEDRICH, «Es lohnt doch, mit Grass den Aufstand zu proben» (Pl), *Kölner Stadtanzeiger*, 16. 1. 1967.

Berliner Welle, 27. 11. 1963: «Die Hundejahre des Günter Grass».

BETTEX, ALBERT, «Die moderne Literatur», *Deutsche Literaturgeschichte in Grundzügen* (Hrsg. Bruno Boesch), Bern und München, 3, 1967. (S. 474)

BLAHA, PAUL, «Glanz und Elend des Intellektuellen» (Pl), *Der Kurier*, Wien 16. 5. 1966.

BLÖCKER, GÜNTER, «Im Zeichen des Hundes» (Hj), *Frankfurter Allgemeine Zeitung*, 14. 9. 1963.

– *Kritisches Lesebuch*, Hamburg 1962. (S. 208–215: «Günter Grass: *Die Blechtrommel*»)

– *Literatur als Teilhabe. Kritische Orientierungen zur literarischen Gegenwart.* Berlin 1966. (S. 24–29: «Günter Grass: *Hundejahre*»)

– Rückkehr zur Nabelschnur» (Bt), *Frankfurter Allgemeine Zeitung*, 28. 11. 1959.

BOBROWSKI, JOHANNES, «Die Windhühner» (VW), *Das Buch von drüben*, Berlin März 1957.

BOURÉE, MANFRED, «Das Okular des Günter Grass» (Interview), *Echo der Zeit*, Recklinghausen 18. 11. 1962.

BRAEM, HELMUT M., «Narr mit dem Janusgesicht» (Bt), *Stuttgarter Zeitung*, 24. 10. 1959.

BRANDELL, GUNNAR, «Günter Grass» (Hj), *Svenska Dagbladet*, Stockholm 20. 1. 1964.

BRUCE, JAMES C., «The Equivocating Narrator in Günter Grass's *Katz und Maus*», *Monatshefte*, VIII, 2, S. 139–149.

BRÜGGE, PETER, «Erst NPD wählen, dann nach dem Programm fragen» (Wählerdiskussion mit Günter Grass), *Der Spiegel*, 21. 11. 1966.

BRUNELLI, VITTORIO, «Autopsy of an Insurrection» (Pl), *Atlas*, April 1966, S. 249–250.

BUDZINSKI, KLAUS, «Der Poet in der Menge», *Abendzeitung*, München 21. 7. 1965.

BUSCH, GÜNTER, «Spektakel und Desillusionierung» (Bt), *Wort in der Zeit*, VI, 2 (1960), S. 58 f.

CARLSSON, ANNI, «Der Roman als Anschauungsform der Epoche. Bemerkungen zu Thomas Mann und Günter Grass», *Neue Zürcher Zeitung*, 321, 21. 11. 1964, S. 23.

CARPELAN, BO, «Günter Grass» (Bt), *Hufstudstadsbladet*, Helsinki 28. 12. 1962.

– «Günter Grass» (KuM), *Hufstudstadsbladet*, Helsinki 28. 12. 1962.

Christ und Welt, XIX, 6 (1966), S. 19 f.: «Ein Staat ist noch kein Vaterland» (Gespräch mit Günter Grass).

CYSARZ, HERBERT, «Verdient unsere Zeit diesen Bestseller?» (KuM), *Deutsche National-Zeitung und Soldatenzeitung*, München 15. 11. 1963.

DAHNE, GERHARD, «Wer ist Katz und wer ist Maus?», *Neue Deutsche Literatur*, Nov. 1965.

DELMAS, EUGENE, «Ein deutsches Trauerspiel um Brecht» (Pl), *Frankfurter Neue Presse*, 18. 1. 1966.

(Das) Deutsche Wort, Köln 1. 9. 1963: «Unflätiger Grass».

DORNHEIM, ALFREDO, «Ernst Kreuder y Günter Grass», *Boletin de Estudios Germanicos*, VI, S. 125–145.

E., K., «Onkel, Onkel», *Stuttgarter Zeitung*, 16. 3. 1966.

Edschmid, Kasimir, «Gutachten» (KuM), *Von Buch zu Buch* (Hrsg. Gert Loschütz), Neuwied 1968. (S. 60 f.)
– «Rede auf den Preisträger» (zur Verleihung des Georg-Büchner-Preises an Grass), *Deutsche Akademie für Sprache und Dichtung, Darmstadt, Jahrbuch 1965.* (S. 82–91)
Eichholz, Armin, «Dabeisein oder nicht dabeisein» (Pl), *Münchner Merkur,* 17. 1. 1966.
Eimers, Enno W., «Ein Schelmenroman unserer Tage – voll innerer Gesichte» (Bt), *Der Kurier,* Berlin 28. 11. 1959.
Emmel, Hildegard, *Das Gericht in der deutschen Literatur des 20. Jahrhunderts.* Bern und München 1963. (S. 105–119: «Günter Grass»)
Encounter, Jan. 1965, S. 88–91: «Conversation with Simonov, With Günter Grass and Uwe Johnson».
Enright, D. J., *Conspirators and Poets.* London 1966. (S. 190–200: «Three New Germans». S. 201–207: «*Dog Years:* Günter Grass's Third Novel»)
Enzensberger, Hans Magnus, «Gutachten» (KuM), *Von Buch zu Buch* (Hrsg. Gert Loschütz), Neuwied 1968. (S. 61–64)
– *Einzelheiten,* Frankfurt a. M. 1962. (S. 221–233: «Wilhelm Meister, auf Blech getrommelt». Auch: *Süddeutscher Rundfunk,* Stuttgart 18. 11. 1959)
– «Günter Grass: *Hundejahre*», *Der Spiegel,* Hamburg 4. 9. 1963, S. 70 f.
– «Trommelt weiter» (KuM), *Frankfurter Hefte,* Dez. 1961.
Esslin, Martin, *Le Theâtre de l'Absurde.* Paris 1963. (S. 262–264: «Günter Grass»)
– «Introduction», in Günter Grass, *Four Plays.* New York 1967. (S. VII–XIII)
– *Sinn oder Unsinn? Das Groteske im modernen Drama.* Basel, Stuttgart 1962.
Eysen, Jürgen, «Günter Grass: *Katz und Maus*», *Bücherei und Bildung,* 2 (Febr. 1962), S. 75.
F., «Mörder und sein Publikum» (OO), *Göttinger Presse,* 1. 6. 1961.
F., K., «Der Große Mahlke und das Dingslamdei» (KuM), *Donauzeitung,* Ulm 5. 10. 1961.
– «Dreht euch nicht um! Der Knirscher geht um» (Hj), *Donauzeitung,* Ulm 21. 8. 1963.
Fehse, Willi, *Von Goethe bis Grass. Biografische Portraits zur Literatur.* Bielefeld 1963. (S. 227–231: «Günter Grass»)
Ferguson, Lore Schefter, «Die Blechtrommel von Günter Grass: Versuch einer Interpretation». (Diss. Ohio, USA) 1967.
Fiedler, Werner, «Der Rest ein dunkles Sößchen» (BK), *Der Tag,* Berlin 18. 2. 1961.
Fink, Humbert, «Dennoch mehr als ein Abfallprodukt» (KuM), *Die Presse,* Wien 19. 11. 1961.
– «Ein Zwerg haut auf die Trommel» (Bt), *Heute,* Wien 12. 12. 1959.
Fischer, Gerd, «Vom Dingslamdei» (KuM), *Neue Rhein-Zeitung,* Essen 7. 10. 1961.
Fischer, Heinz, «Sprachliche Tendenzen bei Heinrich Böll und Günter Grass», *German Quarterly,* XL, 3, S. 372–383.

FORSTER, LEONARD, «Günter Grass», *University of Toronto Quarterly*, XXXVIII, 1 (1. 10. 1968), S. 1–16.

– «Kirschen», *Doppelinterpretationen*. Frankfurt a. M. 1966.

FRENCH, PHILIP, «Gone to Grass» (Pl), *New Statesman*, 16. 2. 1968.

FRICKE-KLOTZ, *Geschichte der deutschen Dichtung*, Hamburg und Lübeck 1966. (S. 492–494: «Günter Grass»)

FRIED, ERICH, «Ist *Ausgefragt* fragwürdig?», *Konkret*, Hamburg Juli 1967.

– «Protestgedichte gegen Protestgedichte», *Die Zeit*, 18. 8. 1967.

FRIEDRICHSMEYER, ERHARD M., «Aspects of myth, parody, and obscenity in Grass *Die Blechtrommel* and *Katz und Maus*», *The Germanic Review*, XI, 3 (1965), S. 240–250.

FRISCH, MAX, «Grass als Redner», *Die Zeit*, 24. 9. 1965.

G., E., «Ein Zauberer trommelt ein Märchen» (Bt), *Arbeiterzeitung*, Wien 6. 1. 1960.

GARROTT, THOMAS J., «Oskars Empfang in England», *Die Zeit*, XVII, 43 (1962), S. 15.

GAUS, GÜNTER, *Zur Person. Porträts in Frage und Antwort II.* München 1966. (S. 110–122: «Manche Freundschaft zerbrach am Ruhm»)

GEERDTS, HANS JÜRGEN, PETER GUGISCH, GERHARD KASPER, RUDOLF SCHMIDT, «Zur Problematik der kritisch-oppositionellen Literatur in Westdeutschland (H. E. Nossack, G. Grass, Chr. Geißler, P. Schallück)», *Wissenschaftliche Zeitschrift der Ernst-Moritz-Arndt-Universität Greifswald*, IX, 4/5 (1959/60), S. 357–368.

GILMAN, RICHARD, «Spoiling the Broth» (BK), *Newsweek*, 6. 2. 1967, S. 106.

GITTLEMAN, SOL, «GUENTHER GRASS: Notes on the Theology of the Absurd», *Crane Review*, 1965, S. 32–35.

GRACK, GÜNTER, «Fünf Gänge, die nicht sättigen» (BK), *Der Tagesspiegel*, Berlin 18. 2. 1961.

GRÖNINGER, WOLFGANG, «Zeichen an der Wand» (Bt), *Hochland*, München Dez. 1959.

GRUNERT, MANFRED und BARBARA GRUNERT (Hrsg.), *Wie stehen Sie dazu? Jugend fragt Prominente.* München und Bern 1967. (S. 74–86: «Schulklassengespräch mit Günter Grass am 10. 12. 1963 in der Albert-Schweitzer-Oberschule in Berlin-Neukölln»)

GYÖRGY, WALKO, «Günter Grass és a botránkozok», *Nagyvilág*, VI, 6, S. 825–827.

HABERNOLL, KURT, «Unpolitisches Theater in politischer Kaschierung» (Pl), *Vorwärts*, Bonn 16. 2. 1966.

HAHNL, HANS HEINZ, «Auf dem Weg zur Zeitkritik unserer Misere» (Pl), *Arbeiterzeitung*, Wien 17. 5. 1966.

– «Der neue Grass» (Hj), *Die Zukunft*, Wien Sept. 1963.

HAMM, PETER, «Alles Schöne ist schief» (Au), *Twen*, Köln Juli 1967.

– «Vergeblicher Versuch, einen Chef zu entmündigen» (Pl), *Frankfurter Hefte*, XXI, 3 (1966), S. 206–208.

– «Verrückte Lehr- und Wanderjahre» (Bt), *Du*, XIX, 12 (1959), S. 132–136.

HANSON, WILLIAM P., «Oskar, Rasputin and Goethe», *Canadian Modern Language Review*, XX, 1 (Herbst 1963), S. 29–32.

HARTLAUB, GENO, «Wir, die wir übriggeblieben sind» (Interview), *Sonntagsblatt*, Hamburg 1. 1. 1967.

HÄRTLING, PETER, «Gedichte zu Gelegenheiten» (Au), *Der Spiegel*, 9. 7. 1967.

– «Von Langfuhr in die Scheuchengrube» (Hj), *Der Monat*, Berlin Sept. 1963.

HARTMANN, RAINER, «Ein Trauerspiel vom deutschen Trauerspiel» (Pl), *Frankfurter Neue Presse*, 11. 7. 1966.

HARTUNG, RUDOLF, «Hundejahre», *Neue Rundschau*, Nov. 1963.

– «Porträt eines Kriegshelden» (KuM), *Der Tagesspiegel*, Berlin 26. 11. 1961.

HATFIELD, HENRY, «The Artist as Satirist», in: *The Contemporary Novel in German*, Robert R. Heitner (Hrsg.), Austin und London 1967. (S. 115 bis 134)

HÄUSSERMANN, BERNHARD, «Ein Buch, in dem es päsert und funkert" (Hj), *Hannoversche Allgemeine*, 7. 9. 1963.

HEISE, HANS-JÜRGEN, «Zwischen Politik und Literatur» (Au), *Die Tat*, Zürich 15. 7. 1967.

HEISSENBÜTTEL, HELMUT, «Und es kam Uwe Johnson» (über Tagung Gruppe 47), *Deutsche Zeitung*, Köln 10. 11. 1960.

HENSEL, GEORG, «Nicht nur von der Maus gefressen» (KuM), *Darmstädter Echo*, 18. 11. 1961.

HERCHENRÖDER, JAN, «Das schlimme Gleichnis von den Hundejahren», *Abendpost*, Frankfurt a. M. 17. 8. 1963.

– «Ein Trommelfeuer von Einfällen" (Bt), *Die Andere Zeitung*, Hamburg März 1960.

HERMS, UWE, «Heute back ich, morgen brau ich, übermorgen ...» (Au), *Stuttgarter Zeitung*, 8. 4. 1967.

HERRMANN, WALTER M., «Schuldbewußt klage ich euch an!» (Pl), *Hamburger Abendblatt*, 5. 1. 1968.

HEWES, HENRY, «Grass on Brecht» (Pl), *Saturday Review*, 14. 9. 1968, S. 117.

HILDEBRANDT, DIETER, «Brecht und der Rasen» (Pl), *Frankfurter Allgemeine Zeitung*, 17. 1. 1966.

HOCHMANN, SANDRA, «The Tin Drum» (Bt), *The Village Voice*, New York 14. 3. 1963.

HÖLLER, FRANZ, «Das Kraftgenie aus Danzig» (KuM), *Ost-West-Kurier*, Frankfurt a. M. Okt. 1961.

HÖLLERER, WALTER, «Roman im Kreuzfeuer», *Tagesspiegel*, Berlin 20. 12. 1959.

HOFFMANN, JENS, «Laudatio auf ein Ärgernis. Günter Grass und der Georg-Büchner-Preis», *Christ und Welt*, XVIII, 42 (1965), S. 25.

HOHOFF, CURT, «Die Welt der Vogelscheuchen», *Rheinischer Merkur*, 15. 11. 1963.

HOLTHUSEN, HANS EGON, «Günter Grass als politischer Autor», *Der Monat*, 216, Sept. 1966.

– *Plädoyer für den Einzelnen*. München 1967. (S. 40–68: «Günter Grass als politischer Autor»)

HORNUNG, PETER, «Die Gruppe, die keine Gruppe ist» (über Tagung Gruppe 47), *Tages-Anzeiger*, Regensburg Mai 1955.

Hornung, Peter, «Oskar Matzerath – Trommler und Gotteslästerer», *Deutsche Tagespost*, Würzburg 23. 11. 1959.
– «Was man erlebt, wenn man zu jungen Dichtern fährt» (über Tagung Gruppe 47), *Neue Presse*, Passau 16. 11. 1956.
Horst, Karl August, «Die Vogelscheuchen des Günter Grass», *Merkur*, XVII, 10, S. 1003–1008.
– «Ferne Trommelschläge» (KuM), *Merkur*, XV, 12 (1961), S. 1197 f.
– «Grass Günter", in: *Kleines Handbuch der deutschen Gegenwartsliteratur*, Hermann Kunisch (Hrsg.). München 1967. (S. 181–187)
– «Heimsuche» (Bt), *Merkur*, Stuttgart Dez. 1959.
– *Kritischer Führer durch die deutsche Literatur der Gegenwart*. München 1962.
– *Structures et Fluctuations de la Littérature Allemande du Vingtième Siècle*. München 1965.
Hübner, Paul, «Grass kratzt am Brecht-Mythos» (Pl), *Rheinische Post*, Duisburg 17. 1. 1966.
Humm/Loetscher, «Gepfiffen und getrommelt» (Bt), *Die Weltwoche*, Zürich 22. 1. 1960.
Husson, Albert, «Zweimal verhinderter Mord» (OO), *Theater Rundschau*, Bonn April 1958.
Hyman, Stanley Edgar, *Standards: A Chronicle of Books for Our Time*. New York 1966. (S. 168–172: «An Inept Symbolist: Günter Grass»)
Ignée, Wolfgang, «Die Wahrheit ist konkret» (Pl), *Christ und Welt*, Stuttgart 21. 1. 1966.
Ihlenfeld, Kurt, «Rarität und Realität», *Eckart Jahrbuch*, Witten 1961, S. 278–280.
Jahnke, Jürgen, «Günter Grass als Stückeschreiber», *Text und Kritik*, I, 1 (1963), S. 25–27.
Jenny, Urs, «Ein Hundetorso aus Kartoffelschalen» (Hj), *Die Weltwoche*, Zürich 4. 10. 1963.
– «Grass probt den Aufstand» (Pl), *Süddeutsche Zeitung*, 17. 1. 1966.
– «Im Vakuum heiter bleiben» (Au), *Die Weltwoche*, 17. 5. 1967, S. 26.
Jens, Walter, «Das Pandämonium des Günter Grass», *Die Zeit*, XVIII, 36 (1963), S. 17.
– «Gutachten» (KuM), *Von Buch zu Buch*, Gert Loschütz (Hrsg.), Neuwied 1968. (S. 64 f.)
Jerde, C. D., «A Corridor of Pathos: Notes on the Fiction of Günter Grass», *The Minnesota Review*, IV, 4 (Sommer 1964), S. 558–560.
Joppe, Jaap, «Günter Grass» (Bt), *Rotterdamsch Nieuwsblad*, 21. 11. 1964.
K., «Die Blechtrommel», *Unser Danzig*, 20. 5. 1960.
K., A., «Sprachmächtige Flucht aus der Verantwortung» (Bt), *Neues Winterthurer Tageblatt*, 5. 12. 1959.
K., F., «Ein Prosit der Geschmacklosigkeit» (OO), *Neues Österreich*, Wien 20. 10. 1962.
Kabel, Rainer, «Grotesk ist zugleich auch moralisch» (Hj), *Vorwärts*, Bad Godesberg 2. 10. 1963.
Kafka, Vladimir, «Psi roky Güntera Grasse a Nemecka» («Günter Grass

und Deutschlands Hundejahre», Tschechisch), *Kaizui kultura*, I, 2 (1964), S. 66f.

Kahl, Kurt, «Nicht Brecht ist der Chef» (Pl), *Theater heute*, XVII, 7 (1966), S. 35–37.

Kaiser, Carl Christian, «Günter Grass gibt zu denken», *Stuttgarter Zeitung*, 31. 5. 1967.

Kaiser, Joachim, «Böse Kinder bleiben siegreich» (OO), *Süddeutsche Zeitung*, München 14. 2. 1962.

– «Der gelassene Grass» (Au), *Süddeutsche Zeitung*, München 27. 4. 1967.

– «Die Gruppe 47 lebt auf» (über Tagung Großholzleute), *Süddeutsche Zeitung*, München 5. 11. 1958.

– «Die Unbefangenheit des Raubtiers» (KuM), *Süddeutsche Zeitung*, München 7. 10. 1961.

– «Grass überfordert seinen Hamlet» (Pl), *Süddeutsche Zeitung*, München 27. 4. 1967.

– «Günter Grass' Lokomotiven-Poesie» (NzM), *Süddeutsche Zeitung*, München 23. 2. 1960.

– «Oskars gesammelte Bekenntnisse» (Bt), *Süddeutsche Zeitung*, München 31. 10. 1959.

– «Walter Materns Hundejahre», *Süddeutsche Zeitung*, München 21. 9. 1963.

– «Zehn Jahre Gruppe 47» (über Tagung Niederpöcking), *Frankfurter Allgemeine Zeitung*, 2. 10. 1957.

Kant, Hermann, «Ein Solo in Blech» (Bt), *Neue Deutsche Literatur*, Berlin Mai 1960.

Karasek, Hellmuth, «Der Knorpel am Hals» (KuM), *Stuttgarter Zeitung*, 11. 11. 1969.

Kaufmann, Harald, «Hundejahre und satirischer Weltuntergang» (Hj), *Neue Zeit*, Graz 9. 11. 1963.

Kayser, Beate, «Grass überwuchert die Stadt Danzig» (KuM), *Merkur*, München 21. 10. 1961.

Kersten, Hans Ulrich, «Grass versus Brecht (Pl), *Basler Nachrichten*, 19. 1. 1966.

Kesting, Marianne, *Panorama des zeitgenössischen Theaters*. München 1962. (S. 253–261: «Günter Grass»)

Kienzl, Florian, «Aufstand gegen die Brecht-Legende» (Pl), *Die Presse*, Wien 18. 1. 1966.

Kirn, Richard, «Sein Zwerg haut auf die Trommel» (Bt, Interview), *Frankfurter Neue Presse*, 14. 11. 1959.

Klein, Otto, «Die gräßlichen Hundejahre», *Das Deutsche Wort*, Köln 18. 10. 1963.

Klotz, Volker, «Ein deutsches Trauerspiel» (Pl), *Frankfurter Rundschau*, 17. 1. 1966.

Kluger, Richard, «Tumultuous Indictment of Man», *Harper*, Juni 1965, S. 110–113.

Klunker, Heinz, «Unpathetisches Denkmal für Mahlke» (KuM), *Europäische Begegnung*, Hannover Juni 1962.

Konkret, Hamburg Sept. 1963: «Bestseller auf Vorschuß» (Hj).
KORN, KARL, «Epitaph für Mahlke» (KuM), *Frankfurter Allgemeine Zeitung*, 7. 10. 1961.
KOTSCHENREUTHER, HELLMUT, «Der Intellektuelle in der Diktatur» (Pl), *Mannheimer Morgen*, 17. 1. 1966.
KOZARYNOWA, ZOFIA, «Günter Grass» (Bt), *Wiadomski*, London 21. 7. 1963.
KRAFT, PETER, «Vergleiche und ähnliche Alleskleber» (Au), *Oberösterreichische Nachrichten*, Linz 22. 6. 1967.
KRAMBERG, KARL HEINZ, «Das kommende Buch» (Bt), *Das Schönste*, München Febr. 1960.
KRAUS, WOLFGANG, «Zwiespältiger Eindruck eines überdurchschnittlichen Romans» (Bt), *National-Zeitung*, Basel 19. 12. 1959.
KRAUSCHNER, HELGA, «Wohin mit der Wut?» (Au), *Die Furche*, Wien 8. 4. 1967.
KROLOW, KARL, «Alles Schöne ist schief» (Au), *Hannoversche Allgemeine*, 15. 4. 1967.
– «Gleisdreieck», *Südwestfunk*, Baden-Baden 29. 3. 1961.
– «Ist es nur ein Schelmenroman?» (Bt), *Neckar-Echo*, Heilbronn 21. 11. 1959.
KUHN, HEINRICH, «Tagwache auf der Blechtrommel gerührt», *National-Zeitung*, Basel 18. 7. 1965.
Kultura, Warschau 26. 6. 1966: «Günter Grass» (Hj).
KUNKEL, FRANCIS L., «Clowns and Saviours: Two Contemporary Novels», Renascence, 1965, S. 40–44.
KURZ, PAUL KONRAD, «Die Lyrik von Günter Grass», *Stimmen der Zeit*, XCII, 9 (1965), S. 167–181.
– «*Hundejahre.* Beobachtungen zu einem zeitkritischen Roman», *Stimmen der Zeit*, LXXXIX, 1 (1963/64), S. 101–120.
– *Über moderne Literatur.* Frankfurt a. M. 1967. (S. 158–176: «*Hundejahre:* Beobachtungen zu einem zeitkritischen Roman»)
LANGFELDER, PAUL, «Günter Grass» (Hj), *Viata Romînesca*, Bukarest Nov. 1964.
LATTMANN, DIETER, «Geborgte Vergangenheit – verspätete Gegenwart. Wie jung sind junge deutsche Autoren?» *Welt der Literatur*, 23. 12. 1965, S. 751 f.
LEBER, HUGO, «Der kaschubische Trommler» (Bt), *Tagesanzeiger für Stadt und Kanton Zürich*, 26. 9. 1960.
LEISER, ERWIN, «Brecht, Grass und der 17. Juni 1953» (Pl), *Die Weltwoche*, Zürich 11. 2. 1966.
– «Gespräch über Deutschland» (Interview), *Die Weltwoche*, Zürich 23. 12. 1966.
LENNARTZ, FRANZ, *Deutsche Dichter und Schriftsteller unserer Zeit.* Stuttgart 1963. (S. 231–233: «Grass, Günter»)
LENTZ, MICHAEL, «Gedichte in Moll» (Au), *Westdeutsche Allgemeine*, Essen 3. 6. 1967.
LETTAU, REINHARD (Hrsg.), *Die Gruppe 47.* Neuwied 1967.
LOETSCHER, HUGO, «Günter Grass», *Du*, Juni 1960, S. 15–20.

LÖRINC, PETER, «Günter Grass» (Bt), *Magyar Szó*, Budapest Jan. 1964.
LOSCHÜTZ, GERT (Hrsg.), *Von Buch zu Buch. Günter Grass in der Kritik.* Neuwied 1968.
LUFT, FRIEDRICH, «Ein Wallenstein der Revolution» (Pl), *Die Welt*, Hamburg 17. 6. 1966, S. 9.
– «Fröhlich-frecher Umgang mit dem Absurden» (BK), *Die Welt*, Hamburg 21. 2. 1961.
– «Hier macht die Logik fröhlich Handstand» (BK), *Die Welt*, Hamburg 18. 2. 1961.
LUYKEN, SONJA, «Onkel, Onkel», *Mannheimer Morgen*, 6. 3. 1958.
MAIER, HANSGEORG, «Powerteh der angestrengten Anstößigkeit» (Bt), *Frankfurter Rundschau*, 27. 2. 1960.
MAIER, WOLFGANG, «Moderne Novelle» (KuM), *Sprache im technischen Zeitalter*, I (1961), S. 68–71.
– «Die Unruhe um der Ruhe willen» (Au), *Berliner Morgenpost*, 21. 7. 1967.
MARCEL, «Hüben und Drüben. Goes, Grass und Weiss», *Die Zeit*, Hamburg 19. 3. 1965, S. 23.
MARTINI, FRITZ, *Deutsche Literaturgeschichte von den Anfängen bis zur Gegenwart*. Stuttgart 1961.
– «Gutachten» (KuM), *Von Buch zu Buch*, Gert Loschütz (Hrsg.), Neuwied 1968. (S. 58–60)
MASINI, FERRUCCIO, «Günter Grass» (Hj), *L'Unità*, Rom 17. 9. 1966.
MATSUDA, NOBUO, «Die Komik in Grass' Roman *Die Blechtrommel*» (japanisch, deutsche Zusammenfassung), *Doitsu Bungaku*, 35 (Okt. 1965), S. 1–11.
MAYER, HANS, «Das lyrische Tagebuch des Günter Grass» (Au), *Der Tagesspiegel*, Berlin 23. 7. 1967.
– «Felix Krull und Oskar Matzerath» (Bt), *Süddeutsche Zeitung*, München 14. 10. 1967.
– «Komödie, Trauerspiel, deutsche Misere» (Dürrenmatts *Meteor*, Pl), *Theater heute*, VII, 3 (1966), S. 23–26.
– *Zur deutschen Literatur der Zeit*. Reinbek 1967.
MECKEL, EBERHARD, «Hundejahre», *Badische Zeitung*, Freiburg 30. 12. 1963.
METZGER-HIRT, ERIKA, «Günter Grass ‹Askese›: Eine Interpretation», *Monatshefte*, LVII, 6, S. 283–290.
MICHAELIS, ROLF, «Höllenfahrt mit Günter Grass» (Hj), *Stuttgarter Zeitung*, 7. 9. 1963.
MIEG, PETER, «Die Blechtrommel», *Badener Tagblatt*, 12. 2. 1960.
MIGNER, KARL, «Der getrommelte Protest gegen unsere Welt. Anmerkungen zu Günter Grass' Roman *Die Blechtrommel*», *Welt und Wort*, XV (1960), S. 205–207.
MLETSCHINA, IRINA, «Tertium non datur» (aus dem Russischen von Rita Braun), *Sinn und Form*, XVIII, 4, S. 1258–1262.
– «Grass's Wrong Turn» (übersetzt von *Literaturnaya Gazeta*, Moskau), *Atlas*, XII (Dez. 1966), S. 48–50.

(Der) Morgen, Berlin 21. 1. 1966: «In der Sackgasse des Antikommunismus» (Pl).

MORLOCK, MARTIN, «Die schmutzigen Finger», *Der Spiegel*, XIX, 14 (1965), S. 145.

MÜLLER, ANDRÉ, «Ein Anti-Grass-Stück» (Pl), *Nachrichtenbrief* 35, Arbeitskreis Bertolt Brecht, Köln 1966.

– «Realistisch im Detail, unrealistisch im Ganzen» (Hj), *Die Tat*, Frankfurt a. M. 7. 12. 1963.

NAGFL, IVAN, «Günter Grass' Hundejahre», *Die Zeit*, Hamburg, 27. 9. 1963.

NEVEUX, J. B., «Gunter Grass le Vistulien», *Études Germaniques*, XXI, 4, S. 527–550.

NIEHOFF, KARENA, «Die bösen Köche», *Süddeutsche Zeitung*, München 18. 2. 1961.

NÖHBAUER, HANS F., «Die große Danziger Hunde-Saga» (Hj), *Abendzeitung*, München 10. 8. 1963.

– «Joachim Mahlkes Vierklee» (KuM), *Abendzeitung*, München 25. 10. 1961.

NOLTE, JOST, «Baltisch, tückisch, stubenwarm» (Au), *Die Welt*, Hamburg 13. 4. 1967.

– «Der Trommler kennt kein Tabu» (Bt), *Die Welt*, 17. 10. 1959.

– «Der Zeit in den schmutzigen Rachen gegriffen» (Hj), *Die Welt*, Hamburg 7. 9. 1963.

– «Die Plebejer proben den Aufstand», *Die Welt*, Hamburg 6. 1. 1968.

– «Ich schreibe, denn das muß weg» (KuM), *Die Welt*, Hamburg 19. 10. 1961.

– «Menschen gequält von dieser Welt» (Gl), *Die Welt*, Hamburg 2. 12. 1960.

– «Oskar kennt kein Tabu» (Bt), *Die Welt*, Hamburg 17. 10. 1959.

OLIVER, EDITH, «Bravo pour le Clown!» (BK), *New Yorker*, 4. 2. 1967, S. 93 f.

ORZECHOWSKI, LOTHAR, «Kein Aufstand in der Ruine» (Pl), *Hessische Allgemeine*, Kassel 11. 7. 1966.

OTTINGER, EMIL, «Denn was mit Katze und Maus begann, quält mich heute ...» (KuM), *Eckart Jahrbuch*, Witten 1964, S. 231–237.

– «Zur mehrdimensialen Erklärung von Straftaten Jugendlicher am Beispiel der Novelle *Katz und Maus* von Günter Grass», *Monatsschrift für Kriminologie und Strafrechtsreform*, 5/6, 1962, S. 175–183.

PAOLI, RUDOLFO, «Günter Grass» (Hj), *Il Tempo*, Rom 8. 9. 1966.

PETIT, HENRI, «Günter Grass», *Parisien libéré*, 31. 10. 1961.

PIONTEK, HEINZ, «Ein Gedicht und sein Autor», *Süddeutsche Zeitung*, München 7. 12. 1967.

PLARD, HENRI, «Verteidigung der Blechtrommeln», *Text und Kritik*, I, 1 (1963), S. 1–8.

RAINER, WOLFGANG, «Welt im Adamsapfel» (KuM), *Der Tag*, Berlin 3. 12. 1961.

RAND, MAX, «Günter Grass» (Bt), *Unsi Suomi*, Helsinki 5. 5. 1963.

– «Günter Grass: *Katz und Maus*», *Unsi Suomi*, Helsinki 5. 5. 1963.

Reich-Ranicki, Marcel, «Auf gut Glück getrommelt» (Bt), *Die Zeit*, 1. 1. 1960.
– «Die Geschichte des Ritterkreuzträgers» (KuM), *Die Zeit*, 10. 11. 1961.
– *Deutsche Literatur in West und Ost. Prosa seit 1945.* München 1963. (S. 216–230: «Günter Grass, unser grimmiger Idylliker»)
– «Eine Diktatur, die wir befürworten» (über Tagung der Gruppe 47), *Die Kultur*, München 15. 11. 1958.
– «Neue Gedichte von Günter Grass» (Au), *Die Zeit*, Hamburg 19. 5. 1967.
– «Trauerspiel von einem deutschen Trauerspiel» (Pl), *Die Zeit*, XXI, 4 (1966), S. 9.
Richter, Hans Werner (Hrsg.), *Die Mauer oder der 13. August.* Reinbek 1961.
(Das) Ritterkreuz, Wiesbaden April 1962: «Nur mit der Zange anzufassen!» (KuM).
Rischbieter, Henning, «Grass probt den Aufstand» (Pl), *Theater heute*, Hannover Febr. 1966.
Röhl, Klaus Rainer, «Grass in Weimar», *Konkret*, Hamburg Dez. 1964.
– «War Brecht Sozialdemokrat?» (Pl), *Konkret*, Hamburg Febr. 1966.
Roloff, Michael, «Günter Grass», *Atlantic*, Juni 1965, S. 94–97.
Rovit, Earl, «The Holy Ghost and the Dog» (Hj), *American Scholar*, XXXIV (Herbst 1965), S. 676–684.
Rp., «Hinter dem Guckloch» (Bt), *Deutsche Volkszeitung*, Düsseldorf 8. 4. 1960.
Rühmkorf, Peter, «Erkenne die Marktlage!» *Sprache im technischen Zeitalter*, 9/10 (1964), S. 781–784.
Ruhleder, Karl H., «A Pattern of Messianic Thought in Günter Grass' *Cat and Mouse*» (KuM), *The German Quarterly*, XXXIX, 4, S. 599–612.
Ryszka, Franciszek, «Günter Grass» (Hj), *Wspólczesnośċ*, Warschau 1965.
Salyámosy, Miklós, «Günter Grass», *A német irodalom a XX században*, S. 493–507.
Scherman, David E., «Green Years for Grass», *Life*, LVIII, 22, S. 51–56.
Schimming, W., «Die Plebejer proben den Aufstand», *Allgemeine Zeitung*, Mainz 15. 1. 1966.
Schneider, Peter, «Individuelle Sachlichkeit» (Au), *Kürbiskern*, München Jan. 1968.
Scholz, Hans, «Schildernder, bildernder Auerdichter» (Hj), *Der Tagesspiegel*, Berlin 1. 9. 1963.
Schonauer, Franz, «Kindertrommel und die schwarze Köchin» (Bt), *Stuttgarter Nachrichten*, 17. 10. 1959.
Schüler, Alfred, «Coriolan und die Stalinallee» (Pl), *Die Weltwoche*, Zürich 21. 1. 1966.
Schüler, Gerhard, «Katz und Maus», *Süd-Kurier*, Konstanz 30. 12. 1961.
– «Onkel, Onkel», *Göttinger Tageblatt*, 1. 6. 1961.
Schultz, Uwe, «Auskunft über die Ohnmacht» (Au), *Frankfurter Rundschau*, 12. 8. 1967.
Schumann, Willy, «Wiederkehr der Schelme», *Publication of the Modern Language Association of America*, LXXXI, 7 (Dez. 1966), S. 467–474.

Schwab-Felisch, Hans, «Dichter auf dem ‹elektrischen Stuhl›» (über Tagung Gruppe 47), *Frankfurter Allgemeine Zeitung*, 1. 11. 1956.
– «Günter Grass und der 17. Juni», *Merkur*, XX, 3, S. 291–294.
Schwedhelm, Karl, «Aus vollem Hals erzählt» (Hj), *St. Galler Tagblatt*, 8. 9. 1963.
– «Danziger schweres Goldwasser» (KuM), *St. Galler Tagblatt*, 19. 11. 1961.
Segebrecht, Dieter, «Dialektik oder das Vorbild der Kochkunst» (Au), *Frankfurter Allgemeine Zeitung*, 14. 3. 1967.
Segebrecht, Dietrich, «Günter Grass: *Katz und Maus*», *Bücherei und Bildung*, 2, Febr. 1962, S. 73–75.
Segebrecht, Wulf, «Für prüde Gemüter ungeeignet» (Gl), *Vorwärts*, Bonn 17. 2. 1961.
Seidler, Ingo, «Rainer Maria Rilke und Günter Grass: zwei Gedichte oder eines?» *International Arthur Schnitzler Research Ass. Journal*, II, 4 (1963), S. 4–10.
Sharfman, William L., «The Organization of Experience in The Tin Drum» (Bt), *The Minnesota Review*, VI (1966), S. 59–65.
Singer, Herbert, «Die Nachteile der Windeier» (Gl), *Neue Deutsche Hefte*, VIII, 79 (1962), S. 1025 f.
Smith, William James, «The Stage» (BK), *Commonweal*, LXXXV, 19 (17. 2. 1967), S. 567 f.
Spender, Stephen, «Günter Grass» (Bt), *The Sunday Telegraph*, London 30. 9. 1962.
– «Cat and Mouse» (KuM), *New York Times*, 11. 8. 1963.
(Der) Spiegel, XIX, 51 (1965), S. 127 f.: «Grass: Aufstand der Plebejer».
– XV, 42 (1961), S. 88–91: «Grass: Dingslamdei».
– XV, 10 (1960), S. 77 f.: «Grass: Premiere – *Die bösen Köche*».
– 4. 9. 1963, S. 64–78: «Grass: Zunge heraus».
– 18. 11. 1959: «Der Trommelbube» (Bt).
– 24. 10. 1962: «Richters Richtfest» (über Gruppe 47).
– XVI, 9 (1962), S. 68 f.: «Wallerands Weh».
Spycher, Peter, «*Die bösen Köche* von Günter Grass – Ein ‹absurdes› Drama?» *Germanisch-Romanische Monatsschrift*, XVI (1966), S. 161–189.
Stephan, Charlotte, «Junge Autoren unter sich» (über Tagung Gruppe 47), *Der Tagesspiegel*, Berlin 17. 5. 1955.
Steiner, George, *Language and Silence*. New York 1967. (S. 110–117: «A Note on Günter Grass»)
– «The Nerve of Günter Grass», *Commentary*, XXXVII, 5 (Mai 1964), S. 77–80.
Stomps, Victor Otto, «Menschenjahre – Hundejahre», *Text und Kritik*, I, 1 (1963), S. 9–12.
Subiotto, Arrigo, «Günter Grass», in: *Essays on Contemporary German Literature*, Brian Keith-Smith (Hrsg.), London 1966. (S. 214–235)
Suttner, Hans, «Blechtrommler auf Tournee», *Echo der Zeit*, 25. 7. 1965.
Tank, Kurt Lothar, «Der Blechtrommler schrieb Memoiren» (Bt), *Welt am Sonntag*, Hamburg 4. 10. 1959.

– «Die Diktatur der Vogelscheuchen» (Hj), *Sonntagsblatt*, Hamburg 1. 9. 1963.
– «Ein deutsches Trauerspiel – durchgerechnet von Günter Grass» (Pl), *Sonntagsblatt*, Hamburg 23. 1. 1966.
– *Günter Grass*. Berlin 1965.
THOMAS, R. HINTON, und WILFRIED VAN DER WILL, *The German Novel and the Affluent Society*. Toronto 1968. (S. 68–85: «Günter Grass»)
Time, 4. 1. 1963, S. 69–71: «The Guilt of the Lambs» (über Grass, Böll, Johnson).
Times Literary Supplement, 5. 10. 1962: «The Tin Drum» (Bt).
– 27. 9. 1963: «Dog Years» (Hj).
– 30. 9. 1965: «Keeping off the Grass» (über Grass, Weiss, Johnson).
TODD, OLIVIER, «Le chat et la souris» (KuM), *France Observateur*, Paris 18. 10. 1962.
TRIESCH, MANFRED, «Günter Grass: *Die Plebejer proben den Aufstand*», *Books Abroad*, XL, 3 (Sommer 1966), S. 285–287.
UHLIG, HELMUT, «Die Trommel ist sein Tick» (Bt), *Der Tag*, Berlin 13. 9. 1959.
– «Realitäten, Humor und feine Ironie» (VW), *Sender Freies Berlin*, 2. 8. 1956.
UNGUREIT, HEINZ, «Da wären die Hundejahre» (Hj), *Frankfurter Rundschau*, 31. 8. 1963.
URBACH, ILSE, «Der Aufstand tritt auf der Stelle» (Pl), *Der Kurier*, Berlin 17. 1. 1966.
– «Scharfes Süppchen von Günter Grass» (BK), *Der Kurier*, Berlin 17. 2. 1961.
VAN DER WILL, WILFRIED, *Pikaro heute*. Stuttgart 1967. (S. 63–69: «Die Blechtrommel»)
VETTER, HANS, «Ein Spruchkammer-Kabarett über die Hitlerschen Hundstage» (Hj), *Kölner Stadt-Anzeiger*, 17. 8. 1963.
VIELHABER, GERD, «Günter Grass und die Folgen» (Pl), *Frankfurter Allgemeine Zeitung*, 19. 1. 1967.
VÖLKER, KLAUS, «‹Kinderlied› von Günter Grass», *Sender Freies Berlin*, 15. 10. 1961.
VON BERG, ROBERT, «Die Kunst, eine Suppe zu versalzen» (BK), *Die Tat*, Zürich 4. 2. 1967.
VON VEGESACK, THOMAS, «Danzig I Världslitteraturen», *Stockholms Tidningen*, 20. 11. 1961.
VORMWEG, HEINRICH, «Apokalypse mit Vogelscheuchen» (Hj), *Deutsche Zeitung*, 31. 8. 1963.
– «Der Berühmte» (Interview), *Magnum Jahresheft*, Köln 1964.
WAGENBACH, KLAUS, «Günter Grass», in: *Schriftsteller der Gegenwart*, Klaus Nonnenmann (Hrsg.), Olten, Freiburg i. Br. 1963. (S. 119–126)
– «Günter Grass: *Katz und Maus*», *Evangelischer Literaturbeobachter*, Dez. 1961, S. 882 f.
– «Jens tadelt zu Unrecht», *Die Zeit*, 20. 9. 1963.
– «Marginalie», *Bayrischer Rundfunk*, München 29. 3. 1963.

WALLMANN, JÜRGEN P., «Günter Grass: *Hundejahre*», *Die Tat*, Zürich 6. 9. 1963.
WALLRAF, KARLHEINZ, «Umstrittene Bücher. Günter Grass: *Katz und Maus*», *Bücherei und Bildung*, 4 (April 1962), S. 186 f.
WEGENER, ADOLPH, «Lyrik und Graphik von Günter Grass», *Philobiblon*, X, 2 (1960), S. 110–118.
WEYRAUCH, WOLFGANG, «Ausgefragt: Was heißt das?» *Tribüne*, Sept. 1967.
WIDMER, WALTER, «Baal spielt Katz und Maus», *National-Zeitung*, Basel 19. 12. 1961.
– «Geniale Verruchtheit» (Bt), *Basler Nachrichten*, 18. 12. 1959.
WIEGENSTEIN, ROLAND H., «Hundejahre», *Westdeutscher Rundfunk*, 28. 10. 1963.
WIEN, WERNER, «Der vorbestellte Erfolg» (Hj), *Darmstädter Echo*, 4. 10. 1963.
– «Trauermarsch auf der Blechtrommel» (Bt), *Christ und Welt*, Stuttgart 17. 12. 1959.
WIESER, THEODOR, «Die Blechtrommel. Fabulierer und Moralist», *Merkur*, XIII, 12 (1959), S. 1188–1191.
– (Hrsg.), *Günter Grass. Portrait und Poesie*. Neuwied 1968.
WILLSON, A. LESLIE, «The Grotesque Everyman in Günter Grass's *Die Blechtrommel*», *Monatshefte*, LVIII, 2, S. 131–138.
WIMMER, ERNST, «Warum das Burgtheater ausgerechnet Grass spielt» (Pl), *Die Wahrheit*, Graz 10. 2. 1966.
WINTZEN, RENÉ, «Günter Grass le Non-Conformist», *Documents*, Paris März-April 1964.
WOLFFHEIM, HANS, «Trommelexcesse der Literatur» (Bt), *Hamburger Echo*, 16. 1. 1960.
WOLKEN, KARL ALFRED, «Bis zum Ausbruch der Müdigkeit» (Hj), *Christ und Welt*, Stuttgart 11. 10. 1963.
– «Neues aus der Kaschubei» (KuM), *Christ und Welt*, Stuttgart 20. 10. 1961.
YATES, NORRIS W., *Günter Grass. A Critical Essay*. Grand Rapids (Michigan) 1967.
ZAMPA, GEORGIO, «Günter Grass» (KuM), *La Stampa*, Rom 22. 1. 1964.
ZIELINSKI, HANS, «Die unbequemen Fragen des Günter Grass», *Die Welt*, 30. 5. 1961.
ZIMMERMANN, WERNER, «Von Ernst Wiechert zu Günter Grass. Probleme der Auswahl zeitgenössischer Literatur im Deutschunterricht des Gymnasiums», *Wirkendes Wort*, 1965, S. 316–326.
ZWERENZ, GERHARD, «Brecht, Grass und der 17. Juni», *Theater heute*, VII, 3 (1966), S. 24.

Inhalt

Deutsche Literatur im 20. Jahrhundert

Band 1: Strukturen. Band 2: Gestalten. Begründet von Hermann Friedmann und Otto Mann. 5., veränderte und erweiterte Auflage Herausgegeben von Otto Mann und Wolfgang Rothe. 390 + 45 Seiten. Zwei Bände im Schuber, Leinen 68.–

Inhalt von Band 1: Die deutsche Lyrik des 20. Jahrhunderts. – Exkurs über Gottfried Benn. – Die deutsche Epik des 20. Jahrhunderts – Exkurs über Robert Walser. – Das deutsche Drama des 20. Jahrhunderts. – Exkurs über Ferdinand Bruckner. – Schriftsteller und Gesellschaft im 20. Jahrhundert. – Exkurs über die Boheme. – Deutsche Satire im 20. Jahrhundert. – Exkurs über Karl Kraus. – Der deutsche Essay im 20. Jahrhundert. – Exkurs über Ernst Jünger. – Der Expressionismus. – Exkurs über Georg Trakl. – Exkurs über Else Lasker-Schüler. – Metaphysische Positionen. – Das Phänomen des Kitsches.

Inhalt von Band 2: Stefan George. – Rainer Maria Rilke. – Hugo von Hofmannsthal. – Thomas Mann. – Hermann Hesse. – Alfred Döblin. – Hans Carossa. – Robert Musil. – Franz Kafka. – Hermann Broch. – Franz Werfel. – Elisabeth Langgässer. – Gerhart Hauptmann. – Frank Wedekind. – Ernst Toller. – Hans Henny Jahnn. – Carl Zuckmayer. – Bertolt Brecht. – Friedrich Dürrenmatt. – Biographien und Bibliographien, Autorenregister und Mitarbeiterverzeichnis (je für beide Bände).

FRANCKE VERLAG